ローマ人の物語

1

ローマは一日にして成らず

［上］

塩野七生著

『ローマ人の物語』の文庫刊行に際しての、著者から読者にあてた長い手紙

塩野七生

われわれが「文庫」と呼んでいる書物の形は、現代からならば五百年も昔になる、ルネサンス時代のヴェネツィアで生れたのでした。

印刷技術を発明したのがドイツ人のグーテンベルグであることは世界史の常識ですが、この発明がルネサンス的な考え方の普及に大いに役立ったのは、ルネサンス運動の発生の地でもあるイタリアでの企業化に成功したからです。それもとくに、あの時代の経済大国であったヴェネツィア共和国で。

長かった中世時代を通じての書物とは、修道僧たちの苦労の結果である筆写本であったのでした。人間の手で一字一句を書き写していくのですから、当然のことながら部数も限られてくる。値のほうも高価になる。それゆえに、一般の読書人には手の届かない存在でありつづけたのです。印刷技術の発明は、この限界を取り払った。しか

も、利点はこれだけではなかった。

修道士たちは、彼らにとっては邪教の徒であるギリシアやローマ時代の人々の著作でも、まじめに筆写はしてくれたのです。古代の著作が現代にまで遺《のこ》れたのは、彼らのおかげであったと言っても言いすぎではない。しかし、修道僧とは、キリスト教に生涯を捧《ささ》げた人々です。キリスト教徒が読むには適していないと法王庁が定めた作品は、筆写はされても、修道院の奥深くに眠る歳月がつづいたのでした。

それを探し出し世に出したのが、ルネサンス精神に目覚めた人々です。この人々の探究心の源は、ルネサンスの別名と言ってもよい「古代復興」が示すように、キリスト教が支配する以前の文化と文明への関心にあったからでした。そして、この精神運動と呼応するかのように、印刷技術の発明が起る。出版業の誕生は、この二つがドッキングした結果です。

なぜなら、真の出版は言論の自由のないところには成立しえない。そして言論の自由とは、精神的にも経済的にも自立しないかぎりは確立不可能。ルネサンス時代の出版人は、発明されたばかりの印刷技術を活用することで、キリスト教会による規制の撤廃に成功したのです。つまり、文化事業と営利事業の両立に成功することによって。出版業がとくにヴェネツィアで盛んになったのも、ルネサンス時代の「ホモ・エコノミクス」となれば、まず第一にヴェネツィア人であったからでしょう。
ヴェネツィア共和国を十五・十六世紀を通じてのヨーロッパ一の出版王国にしたのは、グーテンベルグの発明後わずか二十年で企業化に成功したニコラ・ジェンセンとジョヴァンニ・ダ・スピーラと、この二人につづいた何人もの出版人のおかげですが、その中でも代表的な存在がアルド・マヌッツィオです。この人物については、すでに『イタリア遺聞』でも『ルネサンスとは何であったのか』の中でもとりあげているので、ここでは詳述はやめますが、この男こそが「文庫」の産みの親であったのでした。

筆写から印刷の時代に移ったとはいえ、書物は大型本のままだった。現代の通常の版型の、二倍もの大きさと厚さになります。これでは、持ち運びも容易ではない。あいもかわらず、読書は室内で、ということになります。この状態の打開を、アルドは考えたのでした。書物を、修道院の塀の外に出したのだから、家の外にも出そうではないか、と。ところが、版型を小型に変えると決めた段階で、新たな問題に直面することになったのです。

それまでに使われていた字体は、「ゴシック」と呼ばれているもので、装飾的で美しい字体なので大型本には最適でも、小型本に印刷すると読みにくくてしかたがない。

それでアルドは、現代でも「イタリック」と呼ばれている字体を考え出したのです。当時では発明者の名をとって「アルディーノ」（アルド式）と呼ばれていたのですが、イタリアの他の出版社もいっせいにこの式を導入したので、以後ヨーロッパでは、「イタリック」（イタリア式）の名で定着することになります。

アルド考案の「イタリック」は、「ゴシック」と比べれば格段に簡明な字体であるために、読みやすさも段ちがいだった。書物の水準は絶対に落とさず、原作尊重に徹したアルドにしてみれば、読みやすいことこそ読者を、良書に親しませる第一歩に思えたのでしょう。

こうして、西暦一五〇一年刊行のヴェルギリウス作の『アエネイアス』を一番手にして、プラトン、アリストテレス、キケロ、カエサルと、アルドゥス社（アルドのラテン読み）出版の文庫がつづきます。製本の際の折り方から「オッターヴォ」（八ツ折）と呼ばれた小型本でしたが、厚さのほうも、当時の男たちの一般的な服装であったシャツとその上に着ける胴着の間にはさめる程度。なにしろ、「ポータブル」（イタリア語ならばポルタービレ）でなければならなかったのですから。そして、アルドが出版したいと思った書物の作者はほとんどが長編作家であったので、アルド考案の「文庫」は分冊が普通になりました。

それでもこの新方式は、当初から大成功であったようです。ヴェネツィアからほど近いパドヴァには世界では二番目に古い大学《ウニヴェルシタス》がありますが、そこで学ぶ学生たちが「文庫」の最初の読者になる。これに、公用や商用でオリエントまでの長い船旅が生活の一部になっていた、壮年の男たちも読者に加わる。そして最後は、粋に見えることならば眼のない御婦人方。胴着は着ない女たちでも、ハンカチーフとともに手に持つのが流行したと、年代記は伝えています。

こうして、十六世紀初頭にヴェネツィアで誕生した「文庫」はその後ヨーロッパ中に広まり、十七世紀に入ってポケット（イタリア語ならばタスカ）が一般化するにつれて、「タスカービレ」の名で定着していったのでした。現代でもイタリアでは、廉《れん》価《か》版であるソフトカバーと区別するために、文庫版は「タスカービレ」と呼ばれているのです。

『ローマ人の物語』の文庫化に際して私は、アルド式の「タスカービレ」にもどることを考えたのです。つまり、文庫の源泉にもどってみよう、と。

なぜなら、『ローマ人の物語』のハードカバーの各巻はいずれも、少々気取って言えば、私の史観に基づいて分けられているからです。

例をあげれば、ユリウス・カエサルの誕生から死までを、他の作家ならば、全一巻にまとめるのですが、私は、ルビコンを渡る以前と渡った以後の二巻に分けています。それは、カエサルの頭の中にあった国家ローマの将来を決める大改革は、ルビコンを渡った瞬間からはじまったと考えたからでした。

　二つ目の例は、ギボンに言わせれば人類史上最も幸福な時代であったという、五賢帝時代のとりあげかたです。多くの歴史家は、ギボンの影響か、ネルヴァ、トライアヌス、ハドリアヌス、アントニヌス・ピウス、そしてマルクス・アウレリウスとつづいた五賢帝時代を、まとめてあつかうのが普通です。それを、私は踏襲していません。治世が十五カ月間にすぎなかったネルヴァは、前の巻である第Ⅷ巻の末尾に組み入れ、「人類史上最も幸福な時代」をとりあげた第Ⅸ巻はトライアヌス、ハドリアヌス、アントニヌス・ピウスの三皇帝にかぎった。そして、インフラストラクチャーのみをとりあげた第Ⅹ巻をはさんで、マルクス・アウレリウスから第Ⅺ巻がはじまる。なぜなら、賢帝マルクス・アウレリウスをもってしても、ローマ帝国の終わりの始まりは避けようがなかった、とが、私の考えであるからです。

　このような事情がある以上、ハードカバーの巻分けは変えることはできません。と言って、ハードカバーの巻別をそのまま文庫でも踏襲したのでは、持ち運び容易、どころではなくなってしまう。となれば五百年昔にアルドが考えついたように、各巻をさらに分冊にするしかないと思ったのでした。アルドの時代はシャツと胴着の間にはさめる厚さ、であったのが、私の場合の基準は、背広のポケットに入れてもポケットが型崩れせず、ハンドバッグに入れても他の品々との同居が可能な分量、となったにしても。さらにもう一つ、文庫化に際して実現したい野心があったのですね。

『ローマ人の物語』のハードカバーでは、第X巻を除けば、各巻とも、表紙カバーはローマ人の顔で統一されています。時代の変遷《へんせん》につれて、面《つら》がまえも変移するのがおわかりでしょう。彫像の技術面でも変移しているのも、おわかりいただけるはずです。そして、キリスト教が支配する時代になると、同じローマ人の顔なのに、まったくちがうとらえ方をされるようになることにも。十五巻を並べたときに、表紙カバーの「顔」を眺めていくだけでローマ史の変遷が追えるようにとが、私の願いであったからでした。造型美術も、時代を映さないでは済まないのです。

ハードカバーの彫像に対し、文庫版では、金貨と銀貨を使うことにしました。通貨もまた、時代を映す史料であることには変わりはないからです。こちらのほうは、全部で何冊になるかはまだわかりません。でも、これだけは約束できる。ローマ史に関連する通貨の歴史は、文庫のカバーで追えることだけは約束できます。

そしてまた、文庫版もそれなりに美しい造本であらねばならないと考え、その想いの実現にも努力したつもりです。アルドも言い遺しているのです。本造りには、「グラツィア」（優美）を欠いてはならない、と。

地中海文明では、「美」は常に重要な要素であったのです。ローマ時代の街道や橋のような土木事業でさえも、耐久性や機能性に加えて、見た眼にも美しいことが不可欠な要素とされたほどに。背広のポケットから取り出したときでも、ハンドバッグから取り出したときでも、それを手にした人の気分が良くなるような美しい小冊でなければならないとが、自作の文庫化に際しての私の最大の願いでもあったのでした。

二〇〇二年三月三日、ローマにて記す

目次

下巻目次

カバーの銀貨について

古代ギリシアの都市国家アテネで、紀元前五二七年から四三〇年の間に鋳造されつづけた、テトラドランマと呼ばれる四ドラクマ銀貨。表面は、皮製のかぶとをかぶる女神アテナ。裏面は、アテナ女神にはつきもののフクロウ。

この図柄の銀貨は、民主政が布《し》かれ、ペルシア戦役に勝利し、ペリクレス統治下で繁栄の極に達した各時代を通じて、広く流布《るふ》していた通貨だった。都市国家アテネの、繁栄の象徴でもある。ソクラテスも手にしたのだと思うと、感無量。

一方、同時代のローマは、銀貨どころか銅貨ももっていない程度の力しかなかった。支払いには、オスティアの浜辺で産する「塩」で代える場合が多かったという。ちなみに「サラリーマン」も語源にもどれば、ローマ人の言語であるラテン語の「sāl《サル》」（塩）で支払われる人、になる。

二〇〇二年三月、ローマにて

塩野七生

ローマ人の物語

ローマは一日にして成らず ［上］

読者へ

古《いにしえ》のローマには、多いときで三十万にものぼる神々が棲《す》んでいたという。一神教を奉ずる国々から来た人ならば眉《まゆ》をひそめるかもしれないが、八百万《やおよろず》の国から来た私には、苦になるどころかかえって愉《たの》しい。

古代ローマの心臓部であったフォロ・ロマーノの遺跡の崩れた石柱にでも坐って、ガイド・ブックや説明書を開いているあなたの肩ごしに、何か常ならぬ気配を感じたとしたら、それは、生き残った神々の中のいたずら者が背後からガイド・ブックをのぞいているからなのだ。自分たちのことを、二千年後の人間はどのように書いているのかを知りたくて。

「いや、わたしがきちんと書きますよ」

と言ったかどうかは知らないが、エドワード・ギボンは、フォロ・ロマーノを訪れたがために大作『ローマ帝国衰亡史』を書くことになり、青年アーノルド・トインビーは、古代のローマを求めてイタリア中を自転車で旅することになった。

この二大歴史家とは比べようもないほどに小さな存在である私たちとて、ローマを訪れれば、いや古代ローマ人の足跡、北アフリカでも中東でもヨーロッパでも、彼らが遺《のこ》した足跡を訪れれば、ごく自然に考えるようになるのではないか。

古代のローマ人とは、どういう人たちであったのだろう、と。

知力では、ギリシア人に劣り、
体力では、ケルト（ガリア）やゲルマンの人々に劣り、
技術力では、エトルリア人に劣り、
経済力では、カルタゴ人に劣るのが、
自分たちローマ人であると、少なくない史料が示すように、ローマ人自らが認めていた。

それなのに、なぜローマ人だけが、あれほどの大を成すことができたのか。一大文明圏を築きあげ、それを長期にわたって維持することができたのか。

またそれは、ただ単に広大な地域の領有を意味し、大帝国を築くことができたのも、

そしてそれを長期にわたって維持することができたのも、よく言われるように、軍事力によってのみであったのか。

　そして、彼らさえも例外にはなりえなかった衰亡も、これまたよく言われるように、覇者の陥りがちな驕《おご》りによったのであろうか。

　これらの疑問への解答を、私は急ぎたくない。人々の営々たる努力のつみ重ねでもある歴史に対して、手軽に答えを出したのでは失礼になる。また、私自身からして、まだはっきりとはわかっていないのである。史実が述べられるにつれて、私も考えるが、あなたも考えてほしい。

「なぜ、ローマ人だけが」と。

　それでは今から、私は書きはじめ、あなたは読みはじめる。お互いに、古代のローマ人はどういう人たちであったのか、という想いを共有しながら。

一九九二年、ローマにて

塩野七生

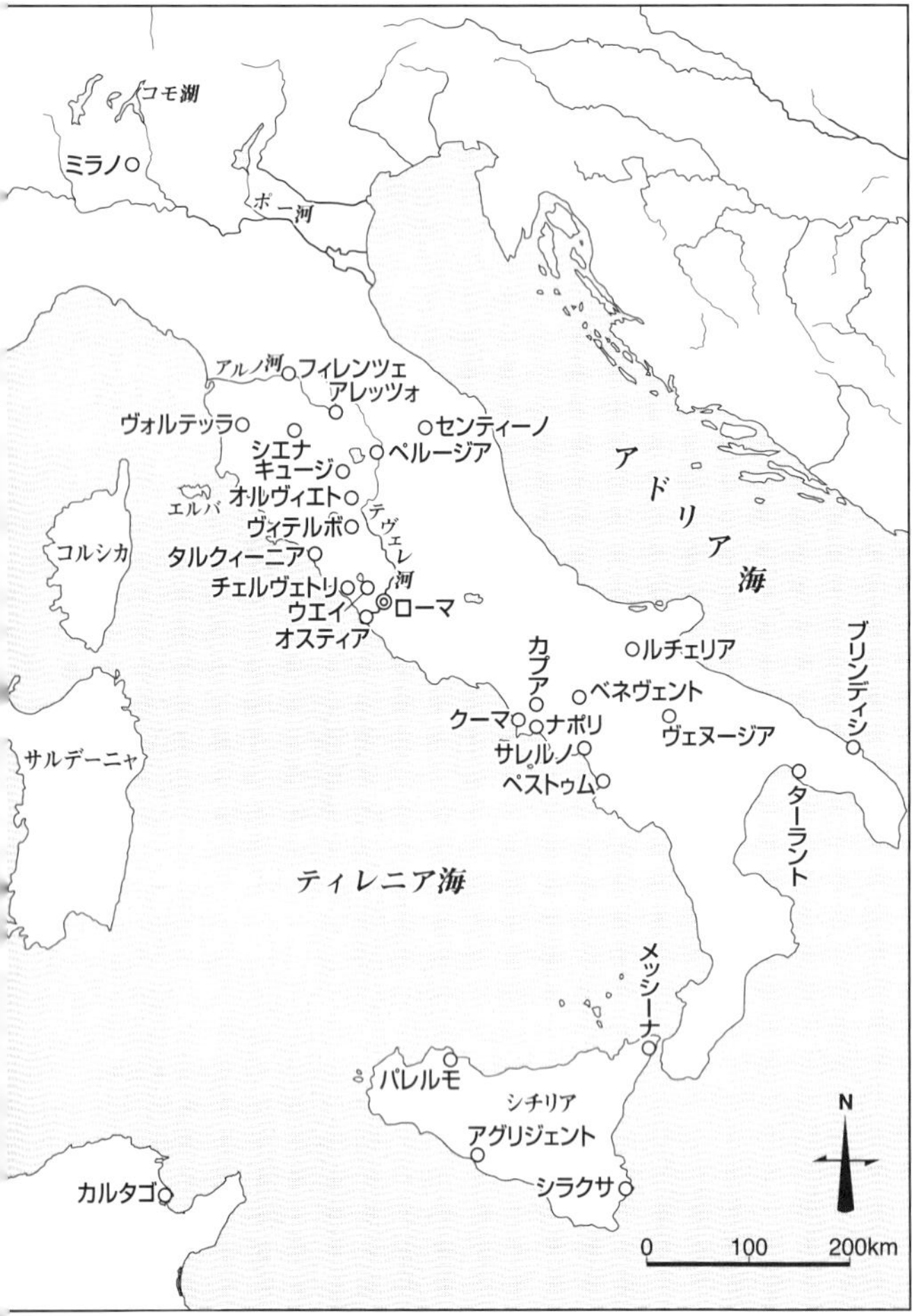

本書に登場するイタリアの主な地名

序章

紀元前一六七年、衰退しつつあったギリシアから、一千人の人質がローマに連れてこられた。いずれも、ギリシアでは社会的な立場の高かった人々である。その中に、三十六歳になっていたポリビウスがいた。

人質とはいっても、当時のローマ人にはギリシア文化への尊敬の想いが強かったから、ギリシア人たちは牢獄《ろうごく》に幽閉されることもなく、一箇所にまとめて監禁されることもなかった。一千人はそれぞれ、ローマ共和国内の町や村の有力者の家に預けられただけである。ギリシア以外の土地ならば、どこであろうと旅行する自由もあった。

ポリビウスは、この人々よりはもっと恵まれていた。ギリシアの独立を守る最後の試みでもあったアカイア同盟では、最高司令官に次ぐ地位とされる騎兵軍団の長を務めていたポリビウスは、ローマの将軍の一人スキピオ・エミリアヌスとは、ギリシアにいた頃からの友人の仲だった。スキピオの口ぞえがあったのだろう。人質ポリビウスは、ローマのスキピオ家に預かりの身になった。

スキピオ・エミリアヌスは、ザマの戦闘でハンニバルを破り、第二次ポエニ戦役の勝利をローマにもたらした武将、スキピオ・アフリカヌスの甥《おい》であるとともに養子孫でもある。ポリビウスよりは十八歳ほど年下であったから、当時はまだ二十歳にも達しない若者だった。だが、ローマの名門貴族スキピオ家の男にふさわしく、軍務では目ざましい経歴を重ねつつあった。また、開かれた精神の持主で、父親ともどもギリシア文化を愛し、教養の高い人々が集まる彼の屋敷での会合は、「スキピオのサークル」と呼ばれて、当時のローマでは有名だった。ギリシアの名門に生まれ、それにふさわしい教育を受け、実生活でも責任ある地位を占めて経験も豊富なポリビウスが、このサークルに喜んで迎えられたのは想像にかたくない。ポリビウスも、祖国の衰退を嘆きつつひっそりと余生を送るには、まだ若すぎた。

十七年が過ぎる。スキピオ・エミリアヌスとの親密な関係は、このギリシア人の人質をローマの中枢《ちゅうすう》にふれさせ、ポリビウスの心の中に、新興国ローマへの関心をますます深めることになった。カルタゴとの最前線にあたる、南イタリアへの旅。スキピオの軍に同行しての、スペイン行。再度スキピオに同行したアフリカへの行軍の帰りは、南フランスを通ってアルプスを越えるという、ハンニバルの通った道をなぞる大旅行になった。

紀元前一五〇年、ギリシアの人質たちに、祖国への帰還が許された。十七年前の一千人は、三百人に減っていた。

この年に同胞とともに帰国したポリビウスだったが、その後もしばしばローマを訪れている。スキピオ・エミリアヌスとの交友もつづいていて、前一四九年からはじまって三年間つづいた第三次ポエニ戦役には、総司令官に選ばれていたスキピオに同行した。七日七晩燃えつづけたというカルタゴの終焉《しゅうえん》も、現場にいて実際に見たのである。ポリビウス、五十七歳の年であった。

それから八十二歳で死ぬまでの二十年余りの間に、四十章から成る『歴史』は書かれたとされている。これまでの歴史作品がギリシアを中心とする東地中海世界を主としてあつかっていたのに比べ、ポリビウスの『歴史』は、ローマに眼を向けた、それも実証的な立場から焦点を当てた、最初の歴史作品になった。ローマを物語った信頼のおける本格的な歴史の第一作は、こうして、他国人であるギリシア人によって書かれたのである。

ポリビウスは、寿命がつきつつあった祖国ギリシアの混迷の実情を熟知していた。また、スキピオ家と親しかったおかげで、今やまさに上昇気流に乗った勢いにある、若き力ローマもよく見ていた。その彼が、なぜ、という問いを発する。なぜギリシアは自壊しつつあり、なぜローマは興隆しつつあるのか。

この問いが、彼に『歴史』を書かせた。ポリビウス自身、序文の中で次のように言っている。

「よほど愚かでよほどの怠け者でもないかぎり、このわずか五十三年間にローマ人がなしとげた大事業が、なぜ可能であったのか、またいかなる政体のもとで可能であったのかについて、知りたいと望まない者はいないであろう」

ポリビウスは、五十三年間と明記している。おそらくそれは、紀元前二〇二年にハンニバルの敗北で終った第二次ポエニ戦役から、前一四六年のカルタゴ滅亡で終る第三次ポエニ戦役の最初の年までを数えてのことだろう。この五十年余りの間に、ローマは地中海世界の覇者になったのである。実際、これ以降の地中海世界の歴史は、ローマの歴史とイコールになる。

しかし、ローマは、五十三年前に突如出現したのではない。ギリシア人の注目は浴びなかったにしても、ゆえに歴史を書こうと考えた外国人はあらわれなかったにしても、ザマの戦闘よりは五百年以上も昔にさかのぼらねばならない、長い助走の歳月をもっていた。五十数年でなく、五百数十年である。ローマはやはり、一日では成らなかったのだ。

連作の第一作になる本書では、ローマ建国からはじまって第一次ポエニ戦役直前までの、五百年間を取りあげるつもりでいる。好調の時期ですら一歩前進半歩後退と評してもよいくらいで、悪くすると十歩も二十歩も後退してしまい、もとにもどるまでに数十年を要するという、苦労の絶えない長い歳月の物語になる。だが、後にローマが大をなす要因のほとんどは、この五百年の間に芽生えはぐくまれたのである。青少年期になされた蓄積が、三十にして起《た》ったときにはじめて真価を問われるのに似て。

第一章　ローマ誕生

落人《おちうど》伝説

いずれの民族も、伝承なり伝説なりをもっている。自分たちのルーツをはっきりさせたいという欲求は、人間にとってはごく自然な願望なのだろう。科学的に解明するのはほとんど不可能と言ってもよい難事だが、人々はそのようなことは求めていない。彼らを納得させる程度の論理性と、彼らの精神を高揚させるに足るロマンがあればよい。ローマ人にとってのそれは、トロイの落城にまつわる一エピソードであった。

ホメロスの作といわれ、二十世紀の今日に至るまで世界文学史上最高傑作の一つとされている叙事詩『イーリアス』によれば、小アジア西岸の豊かな都市トロイは、アガメムノンやアキレスに率いられたギリシア軍に攻められ、十年にもおよんだ攻防戦も最後のときを迎えていた。ギリシア側の武将の一人オデュッセウスの考案した巨大な木馬を、攻略をあきらめて引きあげるギリシア人の置き土産と誤解したトロイの人々は、十年も守り抜いてきた城内に引き入れてしまったのだ。

勝利を眼前にする想いのトロイの人々が眠りこんだ深夜、木馬の内部にひそんでいたギリシア兵が、一人、また一人と、すべり降りた。炎と叫喚につつまれたトロイの都は、その夜のうちに落城した。王族も庶民も区別なく殺され、殺されなかった者は奴隷《どれい》にされた。落城の惨劇の中から、トロイの王の婿《むこ》アエネアスだけが、老いた父と息子とわずかな数の人々を引き連れての脱出に成功する。アエネアスは、美と愛の女神ヴィーナスと人間の男との間に生れた子であり、母親のヴィーナスが、息子がギリシア兵の刃にかかるのを望まなかったからである。

アエネアスとその一行は、何隻《せき》かの船に分乗して、炎上するトロイを後にした。落人たちの遍歴は、ギリシアの島々でもカルタゴでも終らず、神々の導くままにイタリアの西岸を北上し、ローマの近くの海岸に達してようやく終る。その地の王がアエネアスに惚《ほ》れこみ、自分の娘を妻として彼に与えたからである。難民たちはようやく、定住の地をもつことができたのだった。

アエネアスが死んだ後は、父と落人行をともにした息子のアスカニウスが王位を継いだ。だが、三十年の治世の後にアスカニウスは、その地を去ってアルバロンガと名づけた新しい街を建設する。後のローマの母体とされる都市だった。

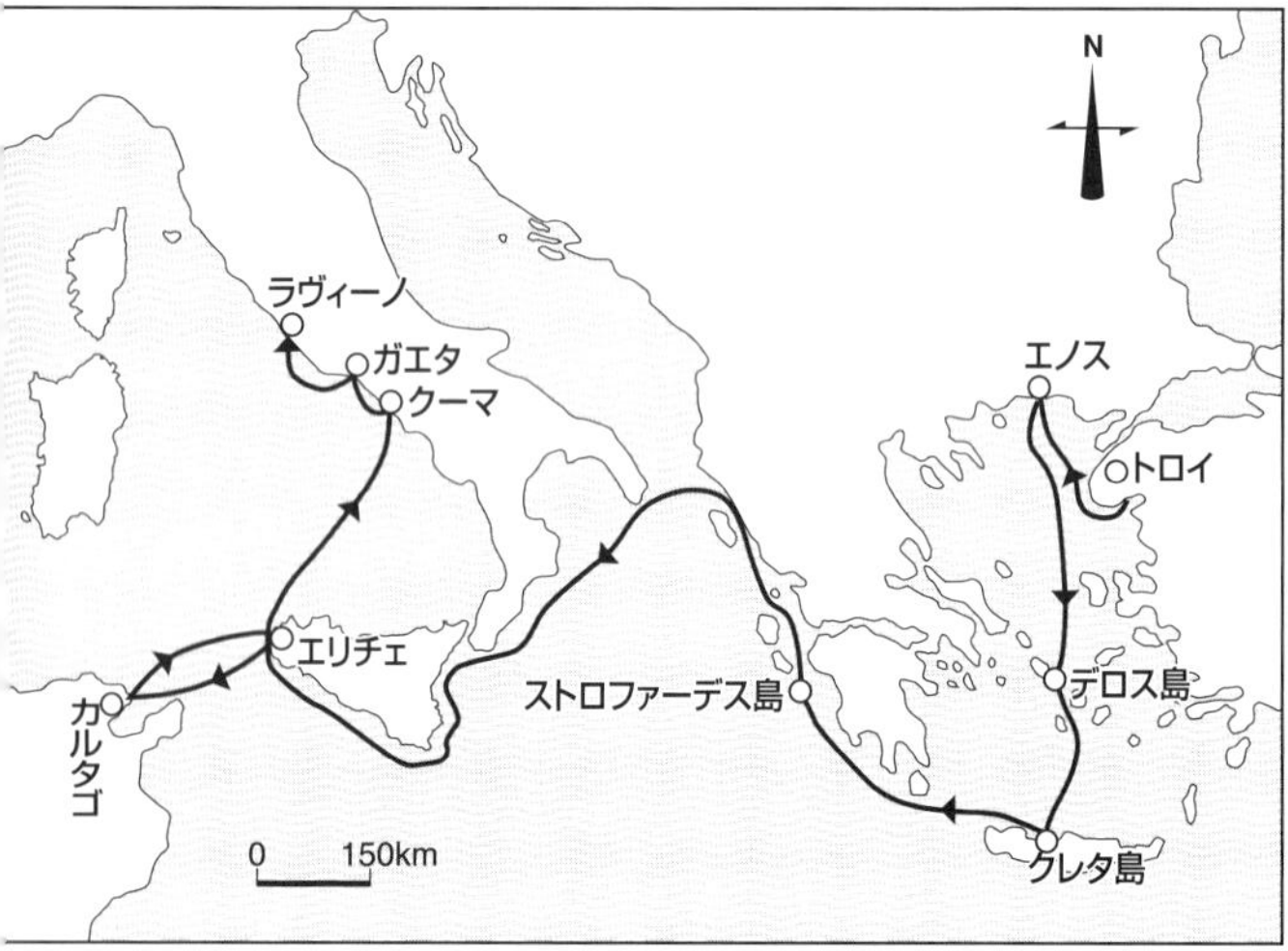

アエネアスの漂流経路

これよりロムルスによるローマ建国までの長い期間、多くの伝説上の王たちが入れ代わり立ち代わり登場するが、それを逐一述べるのはやめることにする。なじみの薄い名の羅列で読者を退屈させないためではなく、ローマ人自らも相当に無理して作りあげたふしが見られるからだ。

ローマ人は昔から、紀元前七五三年にローマを建国したのはロムルスであり、そのロムルスはトロイから逃れてきたアエネアスの子孫にあたると信じてきた。ところが、ギリシアと交流しはじめるようになると、ギリシア人はローマ人に、トロイの陥落は紀元前十三世紀頃の出来事であることを告げたらしい。四百年の空白を埋める必要に迫られたローマ人は、だがあまり困らなかったようである。伝承伝説の世界では、合理的であるよりも荒唐無稽《むけい》であったほうが喜ばれる。というわけで適度に四百年を消化した後に、伝説は一人の王女の登場を迎えた。

アルバロンガの王の娘であった彼女は、王の死後に王位を狙《ねら》った叔父によって、処女のままで神に仕える巫女《ヴェスタ》にされていた。王女に子が生れては、不当に王位に就いた叔父には都合が悪かったからである。

ところが、神事の合間に川のほとりでまどろんでいた王女に、軍神マルスが一目惚れした。天から降りてきたマルスは、王女と愛を交わす。王女が目覚めないうちにことが成ったというのだから、こういうのを神技《かみわざ》と呼ぶのだろう。双児《ふたご》が生れた。ロムルスとレムスと名づけられた。

これを知った叔父の王は激怒した。王女は牢《ろう》に入れられ、双児は籠《かご》に入れられてテヴェレ河に流された。赤ん坊の入った籠は、河口近くまで流れてきて、河岸の繁《しげ》みにひっかかってとまった。籠の中から聞える幼児の泣き声に、付近を通りかかった狼《おおかみ》が気づいた。幼な児二人に乳をふくませ、餓死から救ったのはこの母狼だった。

ただ、ずっとその後も狼に育てられていたのなら困ったことになっていたろうが、

幼な児二人に乳を飲ませる母狼

狼の次に幼児たちを見つけ、抱いて帰って育てたのは羊飼いである。現在でもローマの街からレオナルド・ダ・ヴィンチ空港へ行く道すじに羊の群れを見ることは多いが、二千八百年の昔では彼らがこの辺りの主人公であったのだ。

ロムルスとレムスの兄弟は、成長するにつれてこの辺りの羊飼いたちのボスになっていった。彼らとの抗争を重ねながら、勢力圏を広げていった。勢力圏が広がれば、新しい情報も入ってくる。自分たちの出生の秘密も、それで知った。

配下の羊飼いたちを引き連れた兄弟は、アルバに攻めこんだ。戦いに勝ち、王を殺した。母親はすでに、牢生活中に死んでいたらしい。だが、兄弟は、アルバには留まらなかった。山地にあるアルバは狭く、防衛には適していても発展には不向きと判断したのかもしれない。また、二人の育ったのは、テヴェレの下流だった。まもなくローマと呼ばれることになるその地に、二人は新しく都市を建設することにしたのである。アルバ王に勝った後のロムルスとレムスには、これまでの配下の男たちに加えて、近隣の羊飼いや農民までが従うようになっていた。

だが、共同の敵を倒した後、二人の関係が悪化した。双生児であるために、どちらが王になるかを決めにくいことが原因だった。それではと二人で分割統治することになり、ロムルスはパラティーノの丘に、レムスはアヴェンティーノの丘にと、それぞれの勢力基盤を置くことに決めた。しかし、争いはまもなく再発する。勢力圏の境界を示すためにロムルスが掘った溝《みぞ》を、レムスがとび越えたからだった。これは他者の権利の侵害行為であり、ローマ人の考えでは許されてよいことではなかった。ロムルスはレムスを殺した。

建設者ロムルスの名をとって名づけられたといわれるローマは、こうして誕生した。前七五三年四月のこととされている。ギリシアの地では、四年ごとに開かれるオリンピアの競技会も六回を経て、神話伝承の世界を離れた歴史の時代に入っていた。

紀元前八世紀当時のイタリア

「イタリア半島は、北国と南国の中間に位置する。それゆえに、北の利点と南の利点の双方をもつ。しかも、この利点は互いに働きかけることによって増大するのが普通だから、イタリア半島でも中央に位置するローマの地勢上の有利さは、唯一無二《ゆいいつ》のものになる。……（中略）……まったく、神の技にも等しき人間の智恵が、これほども有利な地勢と温暖な気候に恵まれたこの地に、ローマ人の都を建設することに決めたのであろう」

ロムルスのローマ建国からは八百年の後になる、帝政初期の建築家ヴィトゥルヴィウスは、都市計画の専門家の立場から、右のように述べた。言われてみれば、ローマの立地条件は大変に優れている。国家の発展の可能性を秘めた首都の建設地として、イタリアの中では、ローマに優《まさ》る土地は他にない。ロムルスには、武将の才能に加えて、都市計画者の才能もあったのだろう。

しかし、私にはここで、一つの疑問がわいてくる。都市建設用地としてこれほども有利なローマであるのに、なぜロムルス以前には、ここに都市を建設する者がいなかったのか。近年の考古学によって、紀元前十一世紀頃のものと思われる粗末な墓や住居跡は発見されているから、誰かは住んでいたのだ。だが、都市と呼べるものの跡はまったくない。この地に目をつけた最初の人は、ロムルスであったとするしかないのである。ロムルスが伝説上の人物で不確かというなら、前八世紀半ばの誰かとしてもよい。

それなのに、前八世紀半ばのイタリア半島には、立地条件さえよければ堂々とした都市でも簡単に建設できるだけの経済力と技術力をもつ民族が、少なくとも二つは存在した。

中部イタリアに勢力を拡張中のエトルリア民族と、南イタリア一帯に入植しはじめていたギリシア人である。ところが、この二民族とも、ローマには食指さえも動かしていない。当時のローマは、七つの丘以外の低地は湿地だったが、エトルリア人は干拓の技術をもっていたのである。

私の想像では、前八世紀半ばの頃のローマは、いやもしかしたらその後もかなりの歳月、エトルリア人とギリシア人にとって、ローマは魅力の薄い土地ではなかったかと思う。

ギリシア人は通商の民であり、それゆえに海洋民族であった。海に面した港をもつことを必須条件と考えていた彼らにとって、テヴェレ河を遡《さかのぼ》っていかなければ着けないローマは、都市建設地としては不適と思われたのであろう。ギリシア人によって建設された南イタリアの代表的な植民都市は、シラクサ、ターラント、ナポリと、いずれも海に向って開かれている。

エトルリア人も産業と通商の民族だったが、都市の建設に関してはギリシア人と考えを共有していない。彼らは、小高い丘の上に都市を建設する。海に近い土地でも、背後に丘がない土地には彼らは興味を示さなかった。丘の上に城壁をめぐらせた堅固なつくりの都市を建て、そこにこもって平地には住もうとしない彼らの性向は、フィレンツェを見るだけでも明らかだ。フィレンツェの起源はエトルリア人にはじまるが、彼らが住んだのはフィエゾレの丘である。アルノ河のほとりに現代までつづくフィレンツェの街は、ローマ人によって建てられるまで存在しなかった。

エトルリア人にとっては、ローマの七つの丘はそのいずれをとっても、小さすぎて低すぎたのであろう。そしてもっと悪いことには、七つの丘は近接しすぎていた。エトルリア民族は、適度な距離を保って頂上もゆったりと広い、丘陵の散在する中部イタリア地方に根を降ろす。現代でも中程度の都市として健在なシエナ、ヴォルテッラ、ペルージア、キュージ、オルヴィエトは、すべてエトルリア起源の都市である。それゆえに鉄道の駅に降り立っても、すぐには町に、少なくとも旧市街には踏み出せない。バスにでも乗って、稜線《りょうせん》を登りつめた末にようやくたどり着けるのがこれらの街である。

そのような街を旅しながら、またなんでこんなところにわざわざ、と私などは呆《あき》れ返るのがせいぜいだが、都市を建設するうえでの条件というのも、水とか気候とかの自然条件に加えて、民族によって、また時代によって、異なってくるということでもあるのだろう。

しかし、都市建設にあらわれた考え方のちがいが、これら三民族の後の運命を左右したと考えられないこともない。

防御《ぼうぎょ》には万全でも、発展は阻害されやすい丘の上を好んだエトルリア人。

防御が不充分な土地に街を建てたおかげで、結果としては外に向って発展することになるローマ人。

通商には便利でも、ともすれば敵を忘れさせる海ぞいの土地に街を築いた南伊のギリシア人。

工学部の都市工学科に学ぶ人ならば、何よりもまず先に、哲学や歴史などの人間学を学んでほしいものである。どこに都市を建設するかで、住民の将来を決めるかもしれないのだから。

エトルリア人

エトルリア人の文字は、まだ完全には解読されていない。それゆえに長く、謎《なぞ》の民族といわれてきた。エトルリア人という意味でエトルスクと言うが、これも固有の一民族を指しているのかはっきりしていない。古代でも、現代のトスカーナとウンブリアとラツィオの北部を合わせた地方に住んだ人々を総称して、エトルスク、つまりエトルリア人と呼んでいたらしい。アメリカ合衆国の住人ならば、アメリカ人と呼ぶようなものである。

これらのエトルリア人がどこから来たのかも、わかっていない。小アジアから海を渡ってきたという歴史家もいるし、内陸部から南下してきたとする研究者もいる。いずれにしても彼らは、紀元前九世紀にはすでに、鉄器の製造法を知っていた。

イタリア中部には、鉱山が多く分布していた。この地方に住みついたエトルリア人は、この天然の恵みを活用する。彼らはたちまち、優秀な技術者になった。技術力の向上は経済力の向上につながる。同じく経済力の高いギリシア人との間に、交流が盛んになった。エトルリアの遺品の中には、驚くほど多くのギリシア製の壺《つぼ》がある。それも、南伊のギリシア植民都市のものではなく、本国ギリシアの製品だ。住むのは丘の上だったが、少し離れてはいても港はもっていたエトルリア人は、産業に加えて海上での通商にまで手を広げていたのである。豊かな鉱山のあるエルバ島は当然にしても、コルシカやサルデーニャの島々にまで足を伸ばしていたらしい。あの辺りの海は今でもティレニア海と呼ばれるが、ティレニア海とは、エトルリア人の海という意味である。

紀元前八世紀当時の彼らの勢力圏は、フィレンツェを流れるアルノ河を北辺に、ローマを流れるテヴェレ河を南端とする全域に広がっていた。この地域に今も残る街は、前にも述べたようにすべてがエトルリア起源である。ゆえに、ほとんどすべてが丘の上にある。

古代のエトルリアは、十二の都市国家の連邦制をとっていた。十二の都市国家の中でわかっているのは、アレッツォ、ヴォルテッラ、キユージ、ヴィテルボ、オルヴィエト、タルクィーニア、チェルヴェトリ、ウエイ、ペルージアの九つの街である。このうち、七都市が今でも健在だ。しかし、エトルリア人は連邦制はとっても、各都市国家には独立の傾向が強く、常に共同歩調をとるのは宗教上のことぐらいで、政治や経済や軍事では一致した行動をとるのが不得手だった。十二の都市国家のどれ一つとして、他を圧する力をもった国はなく、それゆえに指導的な立場を占められる都市がなかったこともある。だがこれが、後には彼らの致命傷になった。

エトルリア人の死者の埋葬法は遺体埋葬であったので、墓所のつくりも手がこんでいる。地上にある住まいを小ぶりにして、そのまま地下に建てた感じだ。有力者の墓所ともなると壁画も色彩豊かで、埋葬品も豪華をきわめる。これらから想像するエトルリア人は、戦いを好まず平和を愛し、技術と通商のみで繁栄を築いた、平和的な民族であったように思われる。とくに彼らの彫像に見られるおだやかな様子は、それらを見るわれわれの心すらなごませる。だがこれは、死後の生活という夢に捧《ささ》げられた装飾である。実際のエトルリア人は、他の民族と比べて特別に平和的でもなければ、戦いを嫌う優しい性格の人々でもなかった。

ティレニア海の制海権をめぐって、カルタゴやギリシアとしのぎをけずったこともある。人身御供《ひとみごくう》の習慣もあった。古代のローマ人を熱狂させた人間と野獣を闘わせる見世物も、もともとはエトルリア人の好んだ競技であったのだ。また、墓所の壁に描かれた享楽《きようらく》的な生活から想像して、彼らが快楽にうつつを抜かし、労苦を嫌う性質であったと思うと、これまた判断を誤る。技術力を誇るくらいだから勤勉で、その面での進取の気性は断じて優れていた。このエトルリア人がローマに与えた影響は、多くの面で計りしれない。

紀元前八世紀から前六世紀にかけてのエトルリアの勢力は、ローマなど寄せつけないくらいに強かった。最盛期には、南イタリアまで迫ったことさえある。この時代、ポー河から南のイタリア半島は、大きく分けて、北はエトルリア、南はギリシアと二分されていたのである。ローマは、この二大勢力圏の谷間に生れたのであった。

イタリアのギリシア人

紀元前八世紀のギリシアは、貴族政によって統治される都市国家（ポリス）の時代に入っていた。農業や牧畜業を主にしていた王政時代に比べて、工業商業海運業にまで手を広げたおかげで経済の発展は目ざましく、それにつれて人口も急速に増大する。だが、貴族政の宿命でもある政争による敗者や、経済の発展過程で生じざるをえない持てる者と持たざる者の争いも、増加する一方だった。

耕作地に恵まれないギリシアでは、これらの人々には国外に出るしか生きる道がない。前八世紀は、ギリシア人による植民運動が最も盛んであった時期に当る。彼らの

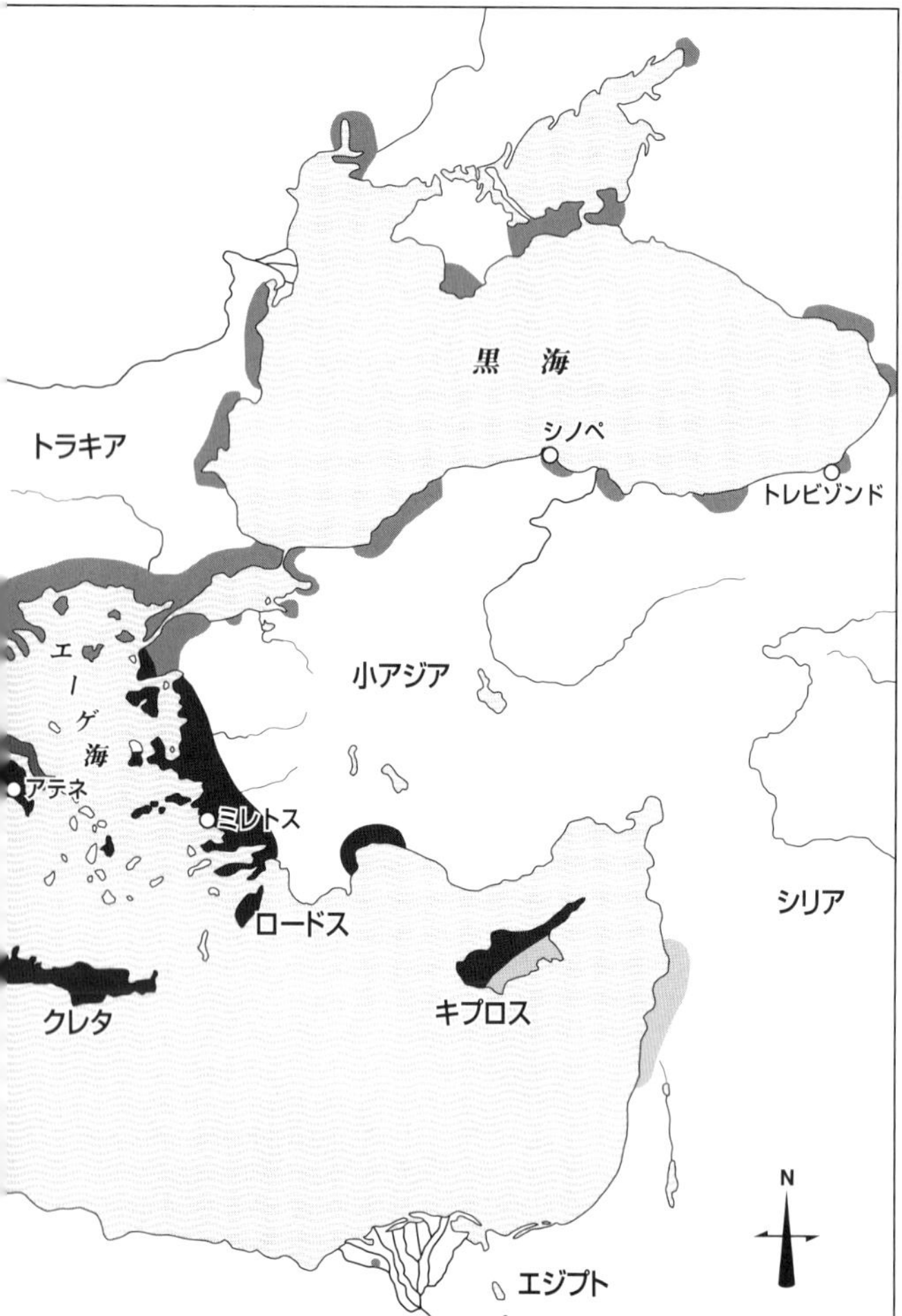
黒　海
トラキア
シノペ
トレビゾンド
エーゲ海
小アジア
アテネ
ミレトス
ロードス
シリア
キプロス
クレタ
エジプト
N
0　100　200km

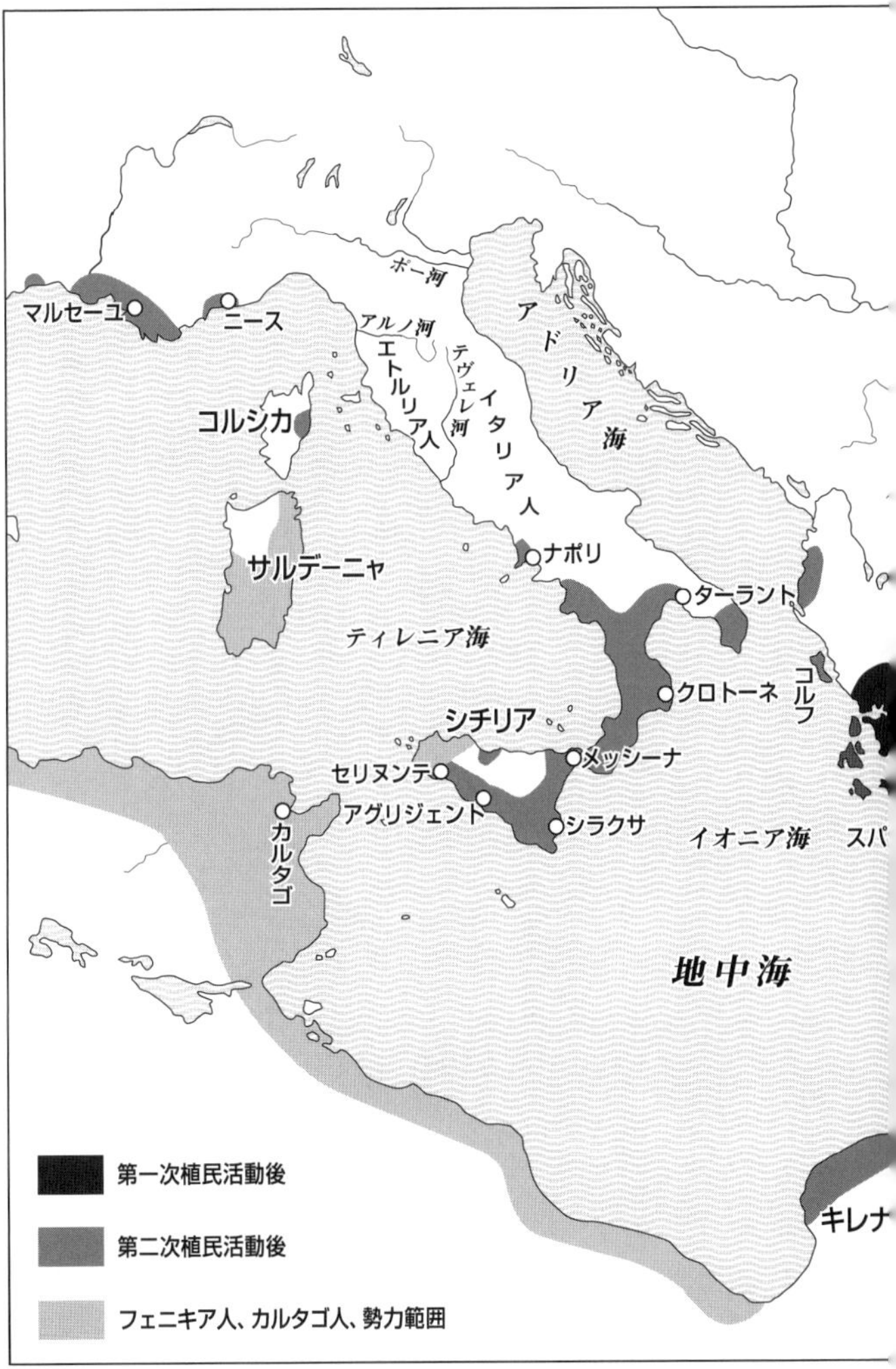

植民活動によるギリシア勢力圏の拡大

特質である進取の精神と冒険を好む性向が、これに拍車をかけた。

ギリシア人による植民地建設は、地中海世界の全域をおおった。東は黒海沿岸におよび、西はフランスからスペインに達する。スペインのマラガもフランスのマルセーユも、この時期のギリシア植民都市を起源としている。

しかし、イタリアでの植民都市建設となると、ギリシアに近いだけに他とは比べようもないくらいに盛んだった。現代までつづく南伊の諸都市の起源は、少しばかりのカルタゴ系をのぞけば、ほとんどと言ってよいくらいにギリシア系が占めている。ナポリ、ターラント、遺跡としてしか残っていないが、ペストゥムにクーマ、シチリア島のメッシーナ、シラクサ、アグリジェント等々。これらは総称して、「大ギリシア」（ドイツ語式発音ならば「マグナ・グレキア」、イタリア語式発音ならば「マーニャ・グレチア」）と呼ばれた。

大きなギリシアと呼ばれたのは、これらの諸都市が急速に発展し、短期間のうちに豊かな繁栄を築きあげたからである。すでに高い文明をもつギリシア人が入植したのだから、すべての面で無駄がない。また、原住民はいないも同然で、その人々との関係に苦慮する必要もなかった。国を捨ててきたのだから、ここで失敗すれば帰るところもないのである。急速な繁栄の要因は、整いすぎるほどであった。

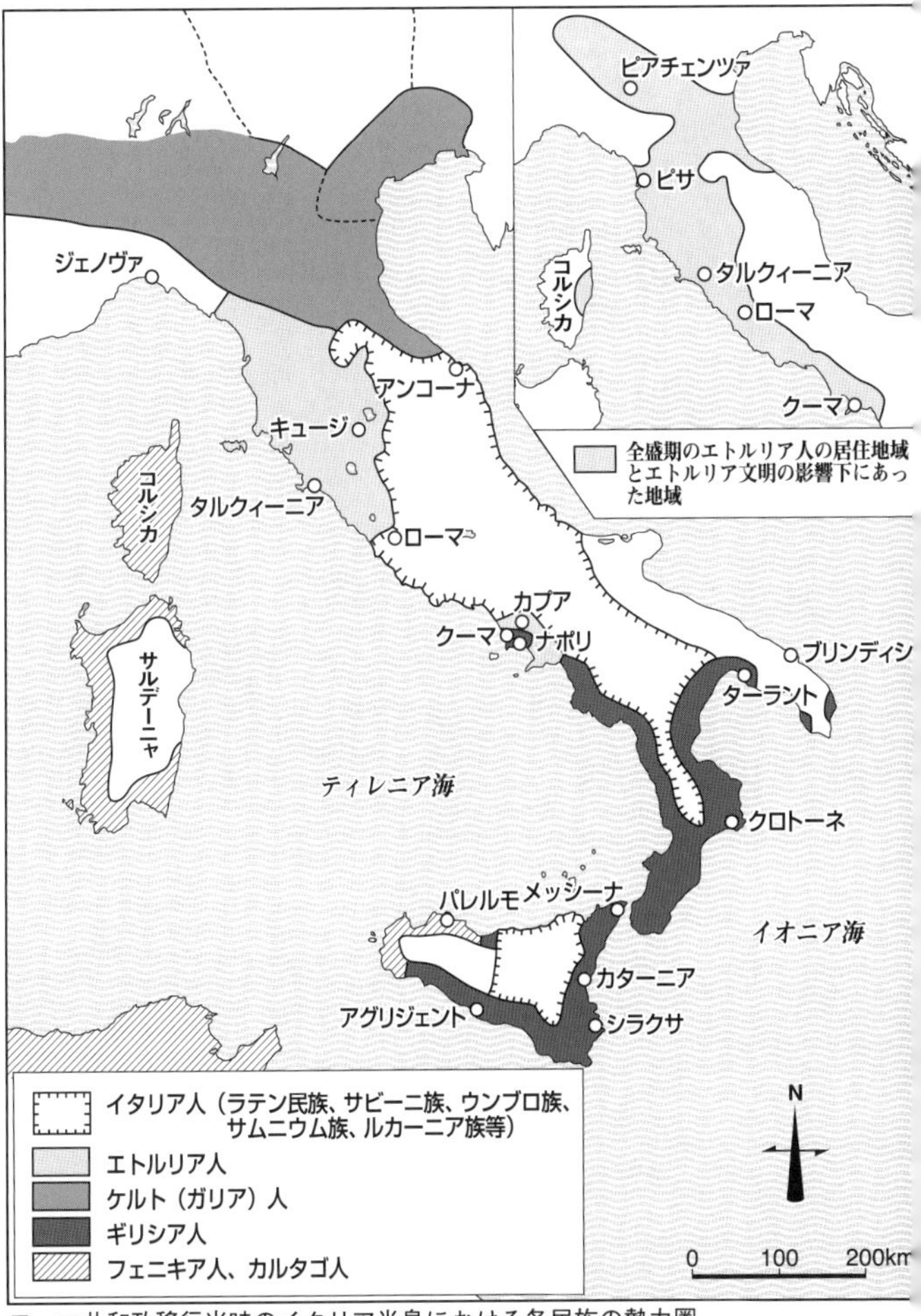

ローマ共和政移行当時のイタリア半島における各民族の勢力圏

これらの植民都市と母国との関係も、独立心の旺盛《おうせい》なギリシア人の性向を反映している。

母国であるにかかわらず、ターラントの人々にとってのスパルタは他国であり、シラクサの人々にとってのコリントは他国だった。それでもなお、交流は盛んだった。ギリシア人は、陸上を行くよりもずっと軽い気持で、舟に帆を張る民族であったからだ。そして、もう一つの点でも、南イタリアに移り住んだギリシア人は、やはりギリシア人だったのである。彼らは、すべてはもっていても団結の精神とは無縁だった。「大ギリシア」の諸都市の間でさえ、共同して戦うことなど一度としてなかった。

生れたばかりのローマが、エトルリアと南伊のギリシアの二大勢力の谷間に温存されたのは、当時のエトルリア人とギリシア人が、ローマの独立を尊重してくれたからではない。当時のローマには、自分たちの勢力圏に加えたいと思わせるだけの、魅力がまったくなかったからである。

商品をもって旅する商人は、買ってもくれなければ売る品も作らない人々には、はじめから近づかない。農業と牧畜しか知らないローマ人は、アテネの職人の手になる美しい壺を購入する資金もなく、エトルリア産の精巧な金属器に支払う貨幣すらもっていなかった。要するに、商人たちからは問題にされなかったのだ。そのうえ、海にも近くなければ防禦にも適していないローマは、ギリシア人にとってもエトルリア人にとっても、根を降ろす魅力もなかった。

北から南に向うエトルリア人は、海路をとらなければ陸路を南下するしかなかったが、ローマへ来ても、あの辺りでは渡りやすい河の中の小島づたいにテヴェレ河を渡り、ギリシア人のいる南へと向うだけだった。ローマは、通過点にすぎなかったのである。通過点ならば、黙って通しているかぎり問題は生じない。ローマはこうして、幼少期に強大な敵に立ち向わないですんだのである。また、海を怖《おそ》れないエトルリアとギリシアの人々を結ぶ幹線通商路は、当時ではやはり海だった。

建国の王ロムルス

ローマにある七つの丘は、七つともがテヴェレ河の東岸に集中している。テヴェレはこの先三十キロほど流れて、オスティアを経て地中海にそそぐ。アペニン山脈に発して三百キロ以上も流れてきたこの河は、大河と呼べる河ではないのだが、それでもローマに近づく頃には水量は増える。水量豊かなテヴェレは、ローマに近づいたところで大きく西に迂回《うかい》し、次いで東に迂回し、またも西に迂回しながらローマを遠ざかる。洪水でも起きようものなら迂回はたちまち消滅し、太い直線の流れと化して地中海にそそぐようになったかもしれない。

だが、七つの丘は、河の近くにありながらも洪水の害を避けられる位置にあった。河が、東に大きく迂回する辺りに集まっていたからだ。洪水でも起きようものならたちまち水びたしになる地帯に人が住むほど人口が増える頃には、ローマの国体も固まり、大規模な治水工事もできるようになり、洪水の不安におびえる必要もなくなっていた。

七つの丘は、北から南に、ラテン語ではクィリナリス、イタリア語だとクィリナーレ、ヴィミナリス（ヴィミナーレ）、エスクィリヌス（エスクィリーノ）、カピトリウム（カピトリーノ）、パラティウム（パラティーノ）、カエリウス（チェリオ）、アヴェンティヌス（アヴェンティーノ）と降りてくる。丘と丘の間の平地は、当時ではまだ湿地だった。

最も高いカピトリーノの丘でさえ海抜五十メートルしかない、低めの丘の集まりである。エトルリア人が都市を築いた丘はいずれも、海抜三百メートルから五百メートルはあった。

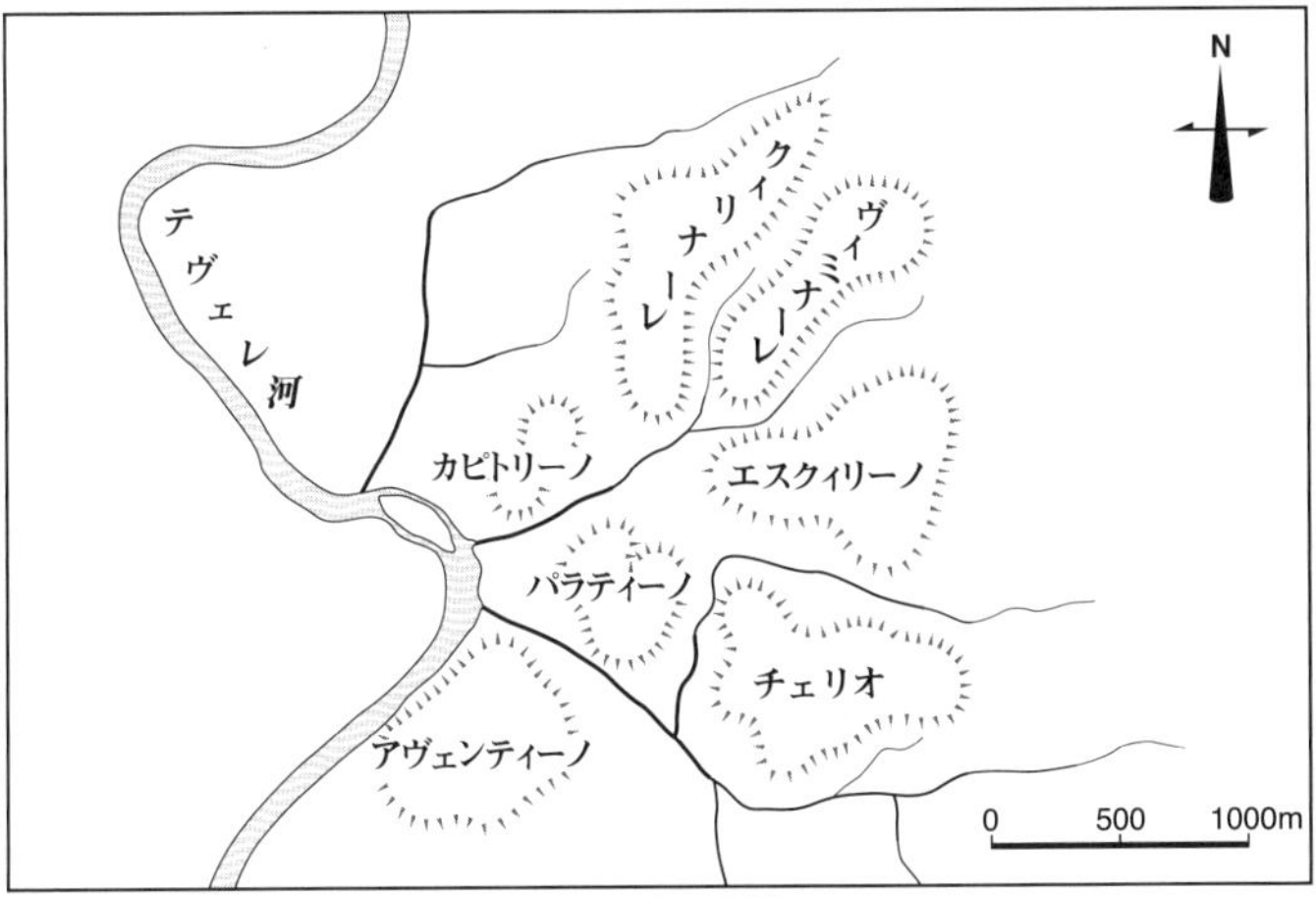

ローマ七つの丘

ちなみに、現代イタリアの大統領官邸はクィリナーレの丘にある。国政選挙も担当する内務省は、ヴィミナーレの丘の上だ。それでテレビでも、大統領官邸から中継します、と言う代わりに、クィリナーレから中継しますと言い、選挙速報を告げるときも、内務省と言わず、ヴィミナーレからの中継です、と言う。

話を二千八百年昔にもどすが、都市建設の条件のうちで防衛を最も重視すれば、この七つの丘のうちでは、カピトリーノの丘が最も適したはずである。テヴェレ河にはどれよりも近接しているだけでなく、三方が切り立った崖《がけ》になっている。だが、頂上の平地が、何としても狭すぎた。現代でも、ローマ市庁舎に美術館二つと教会でいっぱいだ。それでロムルスは、高さはそれほどでなくても丘の上の面積ならば一〇ヘクタールと広い、それでいてテヴェレにも近いパラティーノの丘を選んだのである。カピトリーノの丘のほうは、神々の住まいに予定された。同じようにテヴェレに近接していて、また人の住まう広さも充分なアヴェンティーノの丘は、七つの丘のうちでは最も南に位置するために中心からそれる。ロムルスと争って殺されたレムスが選んだのが、このアヴェンティーノの丘だった。

レムスが死んで一人だけの王になったロムルスは、まずはじめに、パラティーノの丘の周囲に城壁をめぐらせた。都市建設の意思表示である。神々に犠牲を捧げての式も、厳かにすませる。その日は、紀元前七五三年の四月二十一日であったという。このローマ建国の記念日は、以後一千年以上もの長い歳月、絶えることなく毎年祝われる祭日になった。

その年、ロムルスは十八歳。この若者と彼に従《つ》いてきた三千人のラテン人によって、ローマは建国されたのである。

ローマを建国し、初代の王となったロムルスは、何もかも自分一人で行う王にはならなかった。国政を、三つの機関に分けたのだ。王と元老院と市民集会。この三本の柱が、ローマをささえていくわけだった。

宗教祭事と軍事と政治の最高責任者である王は、市民集会で投票によって選ばれると決まった。羊飼いや農民の頭領であったロムルス自身、自分で勝手に王になったのではなくて、彼らから選ばれて王になったのだと思っていたのにちがいない。市民集会による王様の選出という、あまり王政的ではないこの制度も、当時のローマではごく自然な選択であったろう。

ロムルスは、百人の長老たちを集め、彼らを構成員とする元老院を創設した。どうして百人であったかはわからないが、各家門の長《おさ》を集めるとこれぐらいの数にはなったのではないか。元老院議員は、政府の役職ではない。王に助言をするのが彼らの役割だ。ゆえに、市民集会の選挙を通過する必要がない。それでもこの人々は、元老院という公的な機関に属していた。有力者たちからの助言を吸いあげるのが目的の機関でも、政体の確立を重視すれば、公的な地位を与えたほうが有利と判断したのであろう。私的な機関だと役割も責任も明確でなく、それゆえに助言を与えられる側、この場合では王個人、の気分に左右されやすくなるからである。

元老院議員たちは、父を意味するパーテルと呼ばれた。建国の父たち、というわけだ。この語から後のパトリキ、貴族という言葉が生れたと言われる。

市民集会は、ローマ市民全員で構成された。王をはじめとする政府の役職者を選出するのが役割だ。ただし、市民集会には政策立案の権利はなく、元老院の助言を受けて王が考えた政策を、承認するか否認するかが問われるだけである。戦争をするときも彼らの承認を必要としたし、講和をする際も、彼らが承認してはじめて、効力が発揮されるのだった。

ローマという国家の基本形態は、こうして出来あがったのである。当時のローマの実情に即しながらも将来にも適応可能な、シンプルでかつエレガントな、ということは無理の少ない政体であったと言えはしないか。

それにしても、ロムルスとともにローマの建国に参加したのは、どのような人々であったのだろう。

王になる前のロムルスに率いられていた羊飼いや農民たちが、ラテン人と呼ばれる民族であったのはわかっている。ラテン語を話した人々である。だが、ラテン語を話す民族のうちの一部族が、家族ともどもテヴェレの河ぞいに移住してきて、新国家を建設したわけではない。どうやら誕生直後のローマの市民の大部分は、独り身の男たちであったようである。なぜなら、政体確立につづいてロムルスが行った第二の事業は、他民族の女たちを強奪することであったのだから。

暴力に訴えてまでして他民族から女を補充しなければならないような男たちの集団が、ロムルスとその配下の男たちであったならば、彼らの素性にも疑いをもたざるをえなくなる。おそらく、ロムルスも彼らも、それぞれの部族のはみ出し者ではなかったかと思われる。部族の移住ならば、妻子を伴うのが普通だからだ。ただしこれでは、後の偉大なるローマの建国譚《たん》としてはどうにもお粗末で、何よりも子孫たちの気分が高揚しない。それで、美と愛の女神ヴィーナスの息子でトロイの勇将でもあるアエネアスの遍歴譚が考え出され、それとロムルスが結びつけられたのではないだろうか。

神話や伝承の価値は、それが事実か否《いな》かよりも、どれだけ多くの人がどれだけ長い間信じてきたかにある。ローマ人はずっと、自分たちはトロイの勇者の末裔《まつえい》と信じてきたし、ギリシア人でさえもそう思っていたのだった。

それで、プッサンやルーベンスなど後世の画家たちにも格好な画題を提供することになる「サビーニ族の女たちの強奪」だが、古代の歴史家たちによれば、次のようにはじまり、終った。

ロムルスは、近くに住むサビーニ族を祭りに招待した。神に捧《ささ》げられた祝祭日には、戦闘は禁じられている。サビーニ族も、一家総出で、招待に応じてローマまでやってきた。

祭りの気分も高潮した頃、ロムルスの命令一下、ローマの若者たちはサビーニの若い女たちに襲いかかった。不意を突かれたサビーニ族の男たちは、妻や子供や老人たちを守って自分たちの部落に逃げ帰ることしかできなかった。

とはいえサビーニ族も、黙って引き下がりはしない。強奪された娘たちの返還を要求した。それに対してロムルスは、正式に結婚して妻にする、と答える。答えただけでなく、自らも率先して結婚式をあげた。彼自身からして、独り身であったのだろう。それでも満足しないサビーニ族は、ローマに対して戦いを宣告した。

ローマとサビーニ族との戦闘は、合計すれば四回におよんだ。そのほとんどはローマの優勢のうちに進んだが、一度などはパラティーノの丘とカピトリーノの丘の間で闘われたというから、攻めこまれたこともあったのだろう。だが、四度目の戦闘の最中、強奪されていたサビーニの女たちが、戦いの間に割って入った。そして口々に、夫と親兄弟が互いに殺し合うのは見ていられないと訴えたのである。女たちは、強奪はされたものの奴隷にされたわけではなく、妻として相応な待遇を受けていたので、ローマ人の夫たちに愛情を感じていたのだった。

ローマの王ロムルスもサビーニ族の王タティウスも、女たちの訴えを聞きいれることが良策と判断した。二部族間の和平は成った。

欧米には今でも、花婿《はなむこ》が花嫁を抱きあげて新居の敷居をまたぐ風習がある。この事件以来ずっとローマ人の習慣になっていたのが、今日でもつづいている一例である。

しかし、ロムルスが後のローマ人に遺《のこ》した慣例は、夫が新妻を抱きあげて家の敷居をまたぐことだけではなかった。

ロムルスはサビーニ族に、共に勢力圏を尊重して共存する型の和平ではなく、両部族が合同する形での和平を提案したのである。それも、部族あげてローマに移住するよう提案したのだった。彼らのための居住地区として、七つの丘の一つであるクィリナーレの丘が当てられた。

サビーニ族はこれを受けいれる。四度の戦闘とも勝ったのはローマ人だったから、サビーニ族としても、強者ローマと合同する利益を考えてのことだろう。また、ローマ人にサビーニ族が併合されるのではない。あくまでも対等な立場に立っての合同である。サビーニ族の王タティウスは、ロムルスと共同して統治に当ることになった。ローマは、二人の王を頂くことになったのである。

また、サビーニ族の自由民全員には、ローマ人同様の完全な市民権が与えられた。

私有財産に関する諸権利とともに、市民集会での投票権ももったわけだ。サビーニ族の長老たちには、元老院の議席も提供された。

ロムルスにしてみれば、人口の増加と兵力の増大を望むがゆえの策であったろうが、このやり方は、当時のローマ人が考えていた以上の成果につながることになる。プルタルコスは、『列伝』の中で次のように述べている。

「敗者でさえも自分たちに同化させるこのやり方くらい、ローマの強大化に寄与したことはない」


ロムルスの成したもう一つの事業は、建国者ならば当然だが、戦闘による国土の確保であった。サビーニの王タティウスはまもなく戦死したので、戦闘の指揮はほとんど彼がとった。三十七年におよんだロムルスの治世の大半は、新しく誕生した国家の宿命でもある、近隣部族との戦いにあけくれた。百人の兵士で一隊を組む、百人隊(ケントゥリア)制度を考え出したのも彼である。これは、ローマ軍団の最小単位であり核であり、そしてローマが存在するかぎり、百人隊制度も存続しつづけることになる。

たび重なる戦闘による戦死者も少なくなかったはずなのに、ローマの人口もローマの戦力も少しずつにしても増えつづけた。サビーニ族との合同は、短期的に見ても成功であったのだ。

統治も三十九年目を迎えた紀元前七一五年、ロムルスはいつものように軍隊の閲兵をしていた。その時、一天にわかにかき曇り、すさまじい雷雨が襲ってきた。しのつく雨は視界をさえぎり、耳も聾《ろう》する雷鳴があたりを圧した。

ようやく雨もやみ雷も去った後、人々が眼にしたのは空席の玉座だった。ロムルスの姿は、どこにもなかった。人々はいちように、王は天に召されたのだと言い合った。

ロムルスの業績を認めることでは誰も異存はなかったので、突然の不幸に動転しながらも、ロムルスをローマ国家の父とし、神として祭ることを決めた。

しかし、ロムルスの後継者のほうは、簡単には決まらなかった。ローマ人の間には、王の死は、彼の権力の増大を嫌った元老院議員たちが殺したからだという噂《うわさ》も広まっていた。また、ラテン人は再び自分たちの中から王が選ばれるのを当然と思い、サビーニ人は今度こそ王を出したいと望んだ。調整役を求められた元老院には、それをできる力がなかった。ロムルスを殺したのは元老院の一部だという噂は、もしかしたら真実であったのかもしれない。元老院は、親ロムルス派とその反対派に分裂していたからである。

このような場合には、第三者がかつぎ出されることが多い。人々の眼は、人格者として知られていた一人の人物の上にとまった。

二代目の王ヌマ

適時に適材が適所に登用されて力を発揮する例は、民族の興隆期にはしばしば見られる現象である。ローマの歴史も相当な長期間にわたってこれらの例を見せてくれるが、ヌマの即位もこの一例と言ってよいだろう。

ヌマは、ロムルスの招聘《しょうへい》に応じてローマに移住した同胞とはちがい、先祖伝来の地に残ったサビーニ族の一人だった。農耕のかたわら知識探求にもはげむという、晴耕雨読型の人物であったらしい。徳の高さと教養の深さは、ローマにも聞えていた。

ラテン派とサビーニ派の対立で膠着《こうちゃく》状態にあったローマの元老院は、満場一致でヌマを王に推した。サビーニの地までヌマを訪れた長老たちはこのことを彼に伝え、王に即位してくれるよう頼んだ。ヌマは、はじめのうちは拒絶した。すでに、四十歳に達していた。当時の四十歳は、新たな人生を歩みはじめる年齢ではなかった。

しかし、再三の依頼に、ヌマは屈する。長老たちとともに、ローマへ向った。ローマに入ったヌマの装《よそお》いは、軍装でもなく、王であることを示す、斧《おの》の柄に棒の束を縛りつけた権標を捧げもつ警士たちも従えず、長衣《トーガ》の先端で頭部をおおった神官の姿だった。

市民集会の賛意も得て正式に王に即位したヌマは、ただし、神権政治をしようと考えたのではなかった。

ローマの王は、王自らが神であるエジプトのファラオとはちがう。神と人間たちの間をつなぐ、神官的色彩の濃いメソポタミアの王ともちがう。豪族の首領という感じの、ギリシアの王ともちがった。

ローマの王は、神の意をあらわす存在ではない。共同体の意を体現し、その共同体を率いていく存在なのである。それゆえに、終身だが世襲ではない。また、選挙によって選ばれる。ロムルスにも子がいたのに、その子が二代目を継ぐなど、当時のローマでは誰一人考えなかった。王様というよりも、終身の大統領と考えたほうが適切かもしれない。

歴史家リヴィウスは、『ローマ史』の中で、ヌマの業績を述べるにあたって次のようにはじめている。

「王位に就いたヌマは、それまでは暴力と戦争によって基礎を築いてきたローマに、法と習慣の改善による確かさを与えようとした」

　ここでの法とは、法律の制定というよりも、秩序の確立と解すべきであろう。武張った傾向の強かった当時のローマ人に、人間であるための礼節を教え、自らの力の限界を知ると同時に、それを越える存在への怖《おそ》れを教えようとしたのである。

　ヌマは、門や入口の守り神で戦いの神でもある、ヤヌスに捧げた神殿を建てさせた。ヤヌス神は、入口と出口という意味か、反対方向に向いた二つの頭をもつ像であらわされる。ヌマは、完成したヤヌス神殿の表と裏の出入口を人々に示し、この出入口の扉は戦時には開けられ、平和の時期には閉められると言った。この扉は、ヌマがローマを統治した四十三年間、閉じられたままであったといわれる。

ヤヌス神

　ちなみに、この扉はヌマの死後はずっと開けられたままで歳月が流れ、紀元前二四〇年、第一次ポエニ戦役終了後に少しの間閉じられたがまたすぐ開けられ、ユリウス・カエサルの死後の内乱でオクタヴィアヌスがアントニウスとクレオパトラの連合軍に勝った前三一年、ようやく三度目に閉じられたということである。

ヌマは、防衛のための戦闘以外は、この時期のローマには戦いは不要と考えた。それで彼は、農業と牧畜業の振興に力をそそいだ。勝戦の後にはつきものだった略奪をしなくても、生計を立てていけるようにするためである。

また、ヌマは、ローマの市民たちを各種の職能別に分け、それぞれが独自の守り神をもつ団体に所属するよう決めた。大工組合、鉄工組合、染色工組合、陶工組合などがあった。職能別の団体結成は、人々に自分の職業への誇りをもたせるというよりも、ラテン人対サビーニ人という、部族別に分れての対立を防ぐ目的のほうが強かった。当時のローマには、この二部族の他にも、いろいろな人間が流れこんでいたからだ。エトルリア人のコミュニティすら結成されていた。建国当初からして、多民族国家であったのがローマである。この種の国家では、起りがちな摩擦の防止なしには、国家として機能しないからだった。

ヌマは、人々の日常に秩序を与えようと、暦の改革も行った。

ロムルスの頃のローマでは、一年の日数は毎年決まっていたわけではなかった。それをヌマは、月の満ち欠けに準じて一年を十二ヵ月と決め、一年の日数を三百五十五日と決めた。余ってくる日数は、二十年ごとに決算されるのである。ヌマが定めたこの暦は、一年を三百六十五日としたカエサルによる改正までの六百五十年間、ローマ人の日常を律することになる。

また、一年間の各月の配置も、三月が第一月であったのを改めて第三月とし、以前には十一月と十二月であった月を最初にもってきて、一月、二月となるようにした。しかし、各月の呼称までは変えなかった。人々が慣れ親しんできたものまで変えることで生ずる混乱は、避けようと思ったのであろう。おかげで、九月以降の呼称にずれが出てくる。

次に各月の呼び名をあげるが、日本語とラテン語と英語の別に記してみたい。ラテン語を直接の母体にしていない英語をあげる理由は、その英語にしてなお、ローマ文明の影響から無縁でいられなかったことをわかってもらいたいからでもある。

	ラテン語	英語	
一月（睦月《むつき》）	Ianuarius	January	語源はヤヌスの神といわれる。
二月（如月《きさらぎ》）	Februarius	February	清めるという意味をもつ purificatio か

らきているらしい。家畜を殺すのが、
この季節だった。

三月（弥生《やよい》）　Martius　March　軍神マルスに、語源をもつ。

四月（卯月《うづき》）　Aprilis　April　花開くという意味の、aperio からか。

五月（皐月《さつき》）　Maius　May　旅と商いの神 Mercurius（マーキュリー）より。

六月（水無月《みなづき》）　Iunius　June　Iuno 女神（ユピテル神の妻）か、または iuniores、若者に語源をもつ。

七月（文月《ふづき》）　Iulius　July　ユリウス・カエサルの出生月ゆえ、彼を記念するためにつけられた。もちろん、カエサル暗殺の紀元前四四年以前には、この呼称は使われていない。ユリウスと呼ばれる前は、Quintilius、第五月と呼ばれていた。三月から数えて、五番目の月だったからである。

八月（葉月《はづき》）　Augustus　August　これもまた、初代皇帝アウグストゥスを記念しての呼称である。共和政時代はずっと、三月から数えて第六月という意味で、Sextilisと呼ばれていた。
三月から数えるならば、七番目の月にあたっていたのだ。

九月（長月《ながつき》）　September　September
十月（神無月《かんなづき》）　October　October　これも同じく、八番目の月という意味。
十一月（霜月《しもつき》）　November　November　九番目の月という意味。
十二月（師走《しわす》）　December　December　十番目の月という意味。

ヌマは、年間の祭日と休日も整備した。毎月の九日目と十五日目には市《いち》が立つ。畑仕事から解放され、それぞれが収穫物をもって集まるこの日が、ローマ人にとっての休日だった。この他に、神々を祭る祝日が加わる。年に四十五日を数えたという。この国祭日には、すべての公務は休みになった。

しかし、第二代のローマ王ヌマの業績のうちで最も特筆さるべきことは、宗教に関しての改革であったろう。
ヌマが統治する以前にも、ローマ人はすでに多くの神々をもっていた。ヌマは、それらの神々を整理する。後にはギリシアの神々と混同していくにしても、神々の王であるユピテル神（ギリシアではゼウス、英語だとジュピター）、その妻のユノー女神（ギリシアではヘラ）、美と愛を司《つかさど》る女神ヴェヌス（ギリシアではアフロディテ、英語ではヴィーナス）、狩の女神ディアナ（ギリシアだとアルテミス、英語ではダイアナ）、それに学芸の神アポロも知の女神アテネも戦いの神マルスも、ローマでもギリシア同様重要な神々であった。この他にもヤヌス神をはじめとして、ラテン民族古来の神々もいる。先の王ロムルスも、死後に神格化されて神になっていた。

ヌマの行った整理は、これらの神々にヒエラルキーを与えたのである。だが、これこそがローマの神だと、一つを決めはしなかった。それでいて、神々を敬う大切さは教えた。

ギリシア・ローマに代表される多神教と、ユダヤ・キリスト教を典型とする一神教のちがいは、次の一事につきると思う。多神教では、人間の行いや倫理道徳を正す役割を神に求めない。一方、一神教では、それこそが神の専売特許なのである。多神教の神々は、ギリシア神話に見られるように、人間並みの欠点をもつ。道徳倫理の正し手ではないのだから、欠点をもっていてもいっこうにさしつかえない。だが、一神教の神となると、完全無欠でなければならなかった。放っておけば手に負えなくなる人間を正すのが、神の役割であったからである。

モーゼの「十戒」は、次の十項から成り立っている。

一、あなたはわたしの他に、何ものをも神としてはならない。

二、あなたは自分のために、刻んだ像をつくってはならない。

三、あなたは、あなたの神と主の名を、みだりに唱えてはならない。

四、安息日を覚えて、それを聖とせよ。

五、あなたの父と母を敬え。

六、殺してはならぬ。

七、姦淫してはならぬ。

八、盗んではならぬ。

九、隣人について、偽証してはならぬ。

十、隣人の家を、侵してはならぬ。

何にでもどこにでも神は宿ると考え、自分たちの王であった人まで神にしてしまうローマ人には、まず戒律の第一はあてはまらない。また、神の像にとどまらず祖先の像を刻むのまで好んだローマ人には、第二の戒律も無縁であったろう。第三の戒律も、「しまった！」と言う代わりにユピテル神やヘラクレスの名を叫ぶ癖があったのがローマ人である。第四の安息日だが、ローマ人にとっての休日は、神に祈ること以外は何もしない日ではなく、いつもしていることをしないだけの日であった。

　五から十までの戒律は、ローマ人だって守るほうが善であることは知っていたにちがいない。これら六項目は、道徳倫理に属する。宗教を信ずるか信じないかの問題ではなく、人間が野獣に留まるかそれとも人間として生きるかの問題である。モーゼに言われなくても、普通ならば誰でも守ろうとするだろう。

　ちなみに、ユダヤ教から派生したキリスト教では、モーゼの十戒中の第一の戒律だけはユダヤ教に忠実だが、それだからこそ一神教なのだが、その他の戒律はすべて多神教式を取りいれたように思われる。像は刻むし、神や主の名も〝みだりに〟唱える。「しまった！」と言う代わりに、「わが神よ！」とか、「キリスト！」と叫ぶのである。安息日も、スポーツなどやって楽しむ。だからこそ、世界宗教になれたのかもしれない。

　しかし、第五から第十までの戒律に示されている、人間の行いや考えを正すのは宗教の分野に属するという立場では、キリスト教もユダヤ教と少しもちがっていない。妥協の名手であった、ということは人間心理の洞察の名手であったということだが、そのキリスト教にしてなお、あくまでも一神教であったのである。

では、自分たちの道徳倫理を正すことは求めなかった神々に、ローマ人は何を求めたのか。

守り神である。守護を求めたのだ。首都ローマを守るのは最高神ユピテルをはじめとする神々であり、戦いの場では軍神マルスやヤヌス神が守ってくれ、農業は女神ケレス、葡萄酒造り《ぶどうしゅ》はバッカス、経済力向上はメルクリウス（マーキュリー）、病気になればアスクレピオス、幸福な結婚と女の立場の守護神はユノー女神。あげていったらきりがないが、これらの多くの神々が自分たちを守ってくれているのだと、ローマ人は信じていたのである。このローマには、抽象的思考を得意とするギリシアとは比較もできないくらいに多くの神々が棲《す》むようになる。ローマ人の具体的で現実的な性向の結果でもあった。また、ローマでは、他の民族の神々でも排除されなかった。それどころか、積極的に導入された。守り神なのだから、多ければ多いほど目配りがきくとでも考えたのかもしれない。

ただし、古《いにしえ》のローマでは、守り神とはいっても、何もしない者まで守ってやるほどのめんどう見のよい神は意味しなかった。努力を惜しまない人間を側面から援助するのが、守護神のあるべき姿と思われていたからである。その愉快な例が、ヴィリプラカ女神だ。夫婦喧嘩《げんか》の守護神とされていた。

夫と妻の間に、どこかの国では犬も食わないといわれる口論がはじまる。双方とも理は自分にあると思っているので、それを主張するのに声量もついついエスカレートする。黙ったら負けると思うから、相手に口を開かせないためにもしゃべりつづけることになる。こうなると相手も怒り心頭に発して、つい手が出る、となりそうなところをそうしないで、二人して女神ヴィリプラカを祭る祠《ほこら》に出向くのである。

そこには女神の像があるだけで、神官も誰もいはしない。神々を祭る神殿から祠に至るまでの神所のすべてに神官を配置していたのでは、ローマの全人口を動員しても足りないからだが、女神の祠にはそれなりの決まりがあった。神々を信ずるローマ人は、監視役などいなくてもそれは守ったのである。ヴィリプラカ女神を前にしての決まりとは、女神に向って訴えるのは一時に一人と限る、であった。

こうなれば、やむをえずとはいえ、一方が訴えている間は他の一方は黙って聞くことになる。黙って聞きさえすれば、相手の言い分にも理がないわけではないことに気づいてくる。これを双方でくり返しているうちに、興奮していた声の調子も少しずつ落ちてきて、ついには仲良く二人して祠を後にする、ことにもなりかねないのであった。

神に守り神を求めるギリシア・ローマ的な考え方は、考えてみれば人間性に自然な欲求である。これに、ユダヤ教よりは柔軟性に富んでいたキリスト教が、とくにカトリックのキリスト教が注目した。とはいえキリスト教は、一神教である。それで守り神的な役割は、聖者たちの受けもちとしたのである。こちらのほうも、書きはじめたらきりがない。なにしろ、寝取られ男にまで守り神を与えたのだから。キリスト教では、守護神とするわけにはいかなかったから、守護聖人と言った。ちなみに、近代国家イタリアにも守護聖人はいる。アッシジの聖フランチェスコがその人だ。とはいえ、夫婦喧嘩担当の守護聖人までは、折衷の才豊かなキリスト教でも配慮が及ばなかったようである。

ヌマはまた、ローマ人を守る神々に奉仕する神官の組織を整えた。神官階級の長は、最高神祇官《じんぎかん》（ポンティフクス・マクシムス）が務める。その下に、五人から十人の神祇官がいる。他に、聖火を守る役の巫女《ヴェスタ》たちがいた。こちらは三十年間の勤続で、その間処女でいることが求められた。この他には、鳥の飛びようや餌《えさ》のついばみ方などで公事の吉凶を占う、十人ほどの祭司たちがいる。
戦闘に入る前に凶とでも出たら軍団は引き返したのかと思うところだが、現実的なローマ人にはそのようなことはあまり起らなかった。まず第一に、凶と出た場合でもそれを見なかった者には効力がないとされていたので、祭司は眼を閉じればそれですんだからである。

第二には、吉凶を判断するのは祭司たちの任務であったから、彼らの解釈次第というのが実情だった。軍団の指揮官の望むとおりのお告げを鳥にさせるなど、朝飯前のことであったのだ。要は、兵士たちが吉兆と信ずればよいのである。上に立つ者は、いつの時代でも醒《さ》めている。

しかし、ローマの宗教を考えるうえで他の何よりも注目せざるをえない特色は、他の民族とはちがって、ローマには専任の神官たちが存在しなかったことだろう。俗事には一切関係しない、神と人間の間の仲介だけをする人々を、ローマ人は置かなかったのである。

ローマの神祇官や祭司たちは、神の教えの代弁者ではない。神の存在を、神に代わって地上で示す人でもない。神官や祭司になるのに、特別な能力もそれを養う訓練も必要とされない。巫女をのぞけば、普通人と同じ生活を営む人々である。そのうえ、最高神祇官から祭司にいたるまでが、市民集会の選挙で決まるのだった。執政官をはじめとする政府の役職と何ら変りはない、言ってみれば国家公務員である。ありがたみは薄れるかもしれないが、利点も少なくなかった。

固定した階級でないから、他の階級や役職に対する嫉妬《しっと》が生れない。自らの属する階級保全のための、過度の宗教尊重に執着する必要もない。このローマでは、宗教と政治の確執とか癒着とかは起りようがなかった。実に自然な形での政教分離の定着が、ヌマのなした最も重要な業績ではなかったかと思う。

西暦紀元の前と後のちょうど境めに生きたギリシア人の歴史家ディオニッソスは、その著作『古ローマ史』の中で、次のように言っている。

「ローマを強大にした要因は、宗教についての彼らの考え方にあった」

ローマ人にとっての宗教は、指導原理ではなく支えにすぎなかったから、宗教を信ずることで人間性までが金縛りになることもなかったのである。強力な指導原理をもつことには利点もあるが、自分たちと宗教を共有しない他者は認めないとする、マイナス面も見逃せない。

ディオニッソスによれば、狂信的でないゆえに排他的でもなく閉鎖的でもなかったローマ人の宗教は、異教徒とか異端の概念にも無縁だった。戦争はしたが、宗教戦争はしなかったのである。

一神教と多神教のちがいは、ただ単に、信ずる神の数にあるのではない。他者の神を認めるか認めないか、にある。そして、他者の神も認めるということは、他者の存在を認めるということである。ヌマの時代から数えれば二千七百年は過ぎているのに、いまだにわれわれは一神教的な金縛りから自由になっていない。

とはいうものの、人間の道徳倫理や行為の正し手を引き受けてくれる型の宗教をもたない場合、野獣に陥《お》ちたくなければ、個人にしろ国家という共同体にしろ、自浄システムをもたなければならない。ローマ人にとってのそれは、家父長権の大変に強かった家庭であり、そしてこれこそローマ人の創造であることではどんなローマ嫌いでも認めざるをえない、法律であったのだ。

宗教は、それを共有しない人との間では効力を発揮しない。だが、法は、価値観を共有しない人との間でも効力を発揮できる。いや、共有しない人との間だからこそ必要なのだ。ローマ人が、誰よりも先に、そして誰よりも強く法の必要性に目覚めたのも、彼らの宗教の性質を考えれば当然の経路ではなかったかと思う。

ちなみに、ローマ人と同じく倫理道徳の正し手を神に求めなかったギリシア人は、それを哲学に求めた。哲学は、ギリシアに生れたのである。とくに、ソクラテス以後のギリシア哲学の流れは、このギリシア人の思考傾向の果実以外の何ものでもない。

人間の行動原則の正し手を、
宗教に求めたユダヤ人。
哲学に求めたギリシア人。
法律に求めたローマ人。
この一事だけでも、これら三民族の特質が浮びあがってくるぐらいである。

それにしても、これほども多岐におよんだいずれも本源的な改革を、ヌマはなぜ成功させることができたのであろう。

王位に就いた当初のヌマは、ローマの市民ですらなかった。また、ロムルス時代にローマに移住し、ラテン人同様ローマの支柱になっていたサビーニ人から、全面的支援を受けていたわけでもない。ヌマは、支援勢力もなければ血のつながりもない、一人の異邦人として王になったのである。彼の王位就任が元老院の依頼によったものであり、市民集会での正式の承認を得たものであっても、それだけでは弱すぎた。元老院は、不都合となればロムルスのように暗殺することもできたのだし、民衆の支持とて変りやすいことでは同じである。言葉による説得も、理《ことわり》を解する人はいつの世でも多くはない。ヌマには、ロムルスのもっていた軍事上の成功という、民衆には理解されやすい力もなかったのである。

彼は、王位に就いてすぐ、先王ロムルスの護衛隊であった三百の兵を解任した。そして、王をあらわす紫衣《しえ》ではなく、白の神官のトーガを身にまとい、しばしば一人だけで森にこもった。ヌマは森の奥でニンフと話しているのだと、人々は噂《うわさ》しあった。しばらくすると、ヌマはニンフを通して神々から指図を受けているのだと、人々は信ずるようになる。実際、森から出てくるたびにヌマは、何らかの改革案を市民集会に提案したからである。市民集会はこぞってそれらを承認し、元老院は満場一致で賛意を表した。権力とは、武張った形で行使されるとはかぎらない、という一例でもある。

このヌマは、治世四十三年の後、おそらくニンフたちの出迎えを受けて、おだやかに他界に去った。

三代目の王トゥルス・ホスティリウス

ヌマの後を受けて王に選出されたのは、トゥルス・ホスティリウスである。ロムルス同様、ラテン系のローマ人だった彼は、ロムルスに似て攻勢型の男だった。そして、この男に率いられることになったローマのほうも、ヌマによる内部充実の時期を経て、外部への発展の機に達していた。

王トゥルスは、ラテン人発生の地とされ、それによってローマ人には祖先の地でもあるアルバを、攻勢の第一目標とする。開戦の理由を見つけるのは簡単だった。両国の国境近くに住む農民たちの間で争いが起り、それによって生じた略奪行為の弁償をアルバ側が拒否したことが、開戦の理由になった。

しかし、アルバも、八十年の歴史しかもたないローマに比べれば、四百年の歴史を誇る独立国である。簡単に一蹴《しゅう》できる相手ではなかった。トゥルスは、強大なエトルリアがすぐ近くに存在するのに無用な出血は両国のためにならないという理由で、代表者同士の決闘という形での勝負を提案した。

両軍にはそれぞれ、三人ずつの兄弟がいた。ホラティウス家の若者三人とクリアティウス家の三人である。彼らが、それぞれの祖国を代表して闘うことになった。そして、決闘に勝った側の国が、負けた側の国を平和裡《り》に治めるとも決まる。

六人の若者たちは、対戦陣形を解いて待機する両軍の前に進み出た。合図が発せられた。両軍の兵たちがかたずを飲んで見守る前で、剣を手にした六人の騎士たちによる決闘がはじまった。

激しい闘いの後ついに、ローマ側の一人が倒れた。そしてもう一人も、アルバの騎士の剣の下で動かなくなった。ただ一人残ったローマの騎士の胸は恐怖で縮んだ。彼は、一目散に逃げ出した。しかし、逃げながら背後を振り返った彼は、追ってくるアルバの騎士三人の距離が、だいぶ離れているのに気づいた。彼は、はじめに追いついたアルバの騎士をまず倒す。そして、二番目の敵も倒すことに成功した。残るは一人である。勢力は対等になったわけだ。こうなれば、個々の武力と体力の勝負だった。勝ったのは、ローマの騎士ホラティウスのほうであった。

だが、これで終りにはならなかった。国の運命をたった一度の決闘で決められてしまったのが、アルバの王には我慢ならなかったのである。王は、約束を守らないだけでなく、近隣の部族を反ローマに扇動した。ためにローマは、アルバの王に約束の履行を迫るよりも、近隣諸部族との戦いに向わねばならなくなった。その間アルバは、態度を明確にしないままで戦況の行方を静観するという、実に愚かな誤りを犯した。

戦況は、ローマ優勢のうちに進んだ。だが、自ら軍を率いて闘っていた王トゥルスは、真の目標は眼の前の諸部族ではなく、アルバであることを忘れなかった。諸部族相手にひとまずの勝利を得て彼らを釘《くぎ》づけにすることに成功したローマ軍は、雪崩《なだれ》をうってアルバに攻めこんだ。アルバはひとたまりもなく落城し、王は捕えられた。

トゥルスは、ローマとの約束不履行の全責任は、王にあるとした。アルバの王は片脚ずつ二頭の馬に結わえつけられ、馬はそれぞれ反対の方向に向けて鞭《むち》を入れられた。ローマ人のした最初の極刑だった。

アルバの都市は徹底的に破壊された。住民たちは、ローマへの移住を強制された。ただし、奴隷としてではなく、ローマ市民としてだった。ローマ人と同等の市民権を与えられたこれらの人の住まう地域として、チェリオの丘が当てられた。クインティリウス、セルヴィウス、ユリウス等のアルバの有力家門はローマ貴族に列せられ、その代表者には、元老院の議席が提供された。もしもこのとき、アルバの住人が絶滅されていたり奴隷にでもされていたのであったなら、ユリウス一門から生れる、後《のち》のユリウス・カエサルは存在しなかったのである。

そして、アルバ攻略は、単なる近隣の部族の攻略とは意味がちがった。ラテン民族の母国は、これからはローマであることの宣言であったからである。ローマはもはや、はみ出し者たちが集まって建てた分家的な存在ではなく、ラテン民族の本家になったのだった。そして、ローマ人は、ロムルス以来の敗者同化の路線は継承しても、約束を守らなかったり裏切り行為をしたりする者には、容赦しないという路線もここで打ち立てたのである。

サビーニ人の同化ですでに倍増していたローマの人口は、アルバ人の同化でさらに増大した。同等の権利を与えるということは、同等の義務も期待できるということである。当時の市民の義務の第一は軍役を務めることであったから、ローマの戦力もこれで一段と増強されることになった。

その軍事力を率いて戦いに戦いを重ね、ロムルス以上の軍事的栄光に輝いたトゥルスの治世も、三十二年間で終った。史家リヴィウスによれば、雷に撃たれての死であったという。

四代目の王アンクス・マルキウス

トゥルスの没後に選出されたローマ四代目の王は、アンクス・マルキウスというサビーニ族出身者である。ヌマの娘を母として、ローマで生れ育った。祖父ヌマの死の年には五歳であったというから、王位に就いたときは三十七歳。ヌマ同様に彼も平和的な王になると人々は思ったかもしれないが、時代はそれをアンクスには許さなかった。

先王の三十二年の治世のすべては、ラテン人の母国であるアルバ攻略とサビーニ族相手の戦闘に終始したが、アンクスもまた、ラテン部族相手の戦闘を避けることができなかった。

これは、ローマが徐々に力を貯《たくわ》え、周辺の部族の注目を浴びないではすまないまでに、成長していたことを示している。武力でなくとも戦いは、注目されるほどの力をもたない者には起らない。

そして、ローマに住むラテン人もサビーニ人も、ローマのラテン人、サビーニ人であったのだ。ローマが、はみ出し者や移住希望者たちで建国されたことを忘れるわけにはいかない。当然のことながらローマの近くには、ラテン族やサビーニ族の「母体」がまだ健在だった。アルバでさえも、ラテン族の本家とはいえ、その一都市国家であったにすぎない。結果として、これらの近隣部族と新興のローマの関係は、ヤヌスの神殿の扉が閉まるどころの状態ではなかったのである。

三代目の王トゥルスはラテン人であったから、サビーニ族相手の戦闘に全力を投入したのではない。四代目の王アンクスがサビーニ人であったから、ラテン族相手に闘ったのでもなかった。事実、トゥルスは、自らに血のつながるアルバを攻略している。

彼らはもはや、ローマ人と呼んでよかった。強いてちがいを求めれば、ラテン系ローマ人とかサビーニ系ローマ人とするしかない。そして、この「ローマ人」たちは、闘って勝った相手のラテン人やサビーニ人や、またそれ以外の民族でも、被征服民として隷属化せず、もちろん奴隷にもせず、「ローマ化」するやり方を変えなかったのである。

敗者には、ローマへの移住が強制された。先住者と同等の市民権が与えられ、有力者には元老院の議席が提供された。ただし、この頃から、敗者の都市は破壊されるようになった。移住者をローマに定着させるための策であったと、愛国者リヴィウスは、愛国的に説明している。それでも村落までは、破壊されなかったようである。なぜならその後も、ラテンもサビーニも独立した部族で存続したのだから。ローマは、あせらなかった。いや、あせろうにも力がまだ足りなかったと言ったほうが適切かもしれない。

それでもローマの七つの丘は、住民で埋まりつつあった。パラティーノの丘には、ロムルス以来のラテン系ローマ人がかたまって住み、サビーニ系ローマ人はクィリナーレの丘に本拠をかまえて久しい。アルバ人にはチェリオの丘が与えられていたし、最も新しい移住者たちには、アヴェンティーノの丘が提供されていた。これに神々の住まうところとされたカピトリーノの丘を加えれば、七つの丘の五つまでが住人をもったことになる。適度の高さと広さをもった丘から、活用されていったのだろう。ヴィミナーレとエスクィリーノの二つの丘は、上部の平地が狭いうえに海抜も低いので、水はけの問題を解決する必要があった。

四代目の王アンクスは、二十五年におよんだ治世の間に、戦闘以外にもいくつかの事業を完成させた。

第一は、テヴェレ河にはじめて橋をかけたことである。西岸にあるジャンニコロの丘を要塞化《ようさい》したので、それと東岸に集まる七つの丘を結ぶ必要が生じたからだった。だが、橋は、防衛上の理由もあって木造だった。

第二の事業は、テヴェレの河口にあるオスティアを征服したことである。これによってローマは、はじめて地中海と向い合うことになった。また、オスティア周辺の砂浜では塩が生産されていたので、塩田事業も手中にしたことになる。これはローマ人に、通貨ではない通貨を与えた。

塩は、誰にも不可欠な物である。これを輸入に頼らなくてもよくなった利点は大きい。しかし、物々交換であった当時のローマでは、利点はもっと大きかった。塩をもつことは、通貨をもつことであったからだ。

ローマから発する街道のうちで最も古い街道の一つは、ヴィア・サラーリアと呼ばれる道である。直訳すれば、塩の道、となる。テヴェレの河口付近で産する塩を、内陸部の各都市に運ぶための街道だった。

ローマは、農耕民族にはよく見られるように、ゆっくりと、しかし着実に勢力圏を拡大しつつあった。だが、ゆっくりと一歩一歩地歩を固めていくやり方はそれで賞《ほ》められてよい生き方だが、組織にはときおり、異分子の混入が飛躍につながるという現象が起る。まるで化学反応だが、建国から数えて百三十九年目のローマにも、これが起ったのであった。

五代目の王タルクィニウス・プリスコ

いまだアンクスが王位にあった時代のローマに、牛に引かせた荷車を何台も連ねた異邦人の一家が入ってきた。この人々の華美な装《よそお》いと長く伸ばした頭髪から、彼らがエトルリア人であることは誰にもわかった。

しかし、この一家の当主であるタルクィニウスは、純血のエトルスクではなかった。ギリシアのコリントからエトルリアに亡命したギリシア人を父に、エトルリア人を母にもつ混血エトルスクであったのだ。母親はエトルリアでも位の高い家の出身だったが、エトルリアの社会は閉鎖的で、経済上の関係ならば民族の別を問わないが、自分たちの社会に別の血が入ってくるのは嫌った。

そのエトルリアでは生涯異邦人であることから抜けられず、地位の向上など絶望と見たタルクィニウスは、エトルリアの外で運を試そうと決めたのである。

コリント人の血を引いているのだから、コリントの植民が建設した南イタリアのシラクサに行ってもよかったはずである。紀元前七世紀末の当時では、シラクサのほうが、ローマとは比べようもない繁栄を享受《きょうじゅ》していた。だが、タルクィニウスはそれをしなかった。エトルリア民族同様に、ギリシア人も純血主義を好む民族であったからである。

混血児タルクィニウスは、自らの運を切り開く場にローマを選ぶ。ローマでは、住みつく気さえあれば市民権をもらえることは、その頃では他国でも知られていた。また、ヌマやアンクスの例が示すように、建国の当事者であるラテン人でなくても王になれるという事例も、タルクィニウスにとっては魅力であったろう。一族郎党を引き連れ、全財産をたずさえた彼は、こうしてローマに居を定めた。

だが、この外国人は、その頃のローマにはいくつかあった、エトルリア人のコミュニティは頼らなかったようである。それよりも、ラテン系やサビーニ系の別も薄れてきていたローマ人の社会に浸透しようとした。両親から相当な財産を受け継いでいたので、この財力と彼自身の才能をもってすれば、浸透も容易であったろう。十年も経《た》たないうちにこの元異邦人は、王アンクスの遺言執行者に指名されるまでになっていた。

しかし、タルクィニウスは、公証人では満足しなかった。王の死後、自ら王に立候補したのである。彼はまた、選挙運動をした最初のローマ人でもあったようだ。リヴィウスは、次のように書いている。

「伝えられるところによると、タルクィニウスは、王に選出されるためにローマ中で演説し、市民たちに向って自分に票を投ずるよう説いてまわった」

選挙演説の内容は、次のようなものだった。

自分は他国からの移住者だが、ローマの王に他国人がなるのは先例がある。そのうえ、妻子ともども全財産をもってローマに来たのだから、このローマに骨を埋める気は充分だ。年齢も、責任ある公職に就くには適しており、先王の信頼も厚く、ローマの神々を敬いローマの法を尊重することでも、他者に遅れをとらない自信はある……。

市民集会は、このタルクィニウスを、圧倒的多数で王に選出した。元老院も、問題なく承認する。ラテン、サビーニ、ラテン、サビーニとつづいてきたローマの王位に、はじめてのエトルリア系の王の登場であった。

ローマ五代目の王になったタルクィニウスは、実に有能な指導者であることを示した。三十七年間におよぶ治世の間に、ローマの勢力圏は一段と拡張されただけでなく、ローマの内部もはじめて、都市の名に恥じない都市に変貌《へんぼう》するのである。また、市民たちの生活水準も、飛躍的に向上することになった。

彼は、即位後すぐに、ロムルス以来百人と変らなかった元老院議員の数を、二百人に倍増した。人口が増えたことが理由だったが、彼の真意が、自分の権力の確立にあることは明らかだった。元老院議員だけは、王が指名できる。タルクィニウスが指名したのが、彼の息のかかった人々であったのはもちろんだ。新参者のタルクィニウスに対抗する勢力があるとすれば、既成勢力の牙城《がじょう》である元老院だった。民衆の支持で王になれたタルクィニウスだが、民衆の支持にのみ頼ることの危険も知っていたようである。基盤を確かなものにした新王は、周辺の部族との戦闘のために、軍を率いてローマを後にした。

王たちの適切な指揮と兵士たちの勇敢さで、当時のローマ軍は徐々に名を高めていたのだが、相手は強敵でなくてもローマもまだ少年期にある。戦闘は、当時のローマ兵にとってはそれが普通の、激戦の末の勝利だった。だが、タルクィニウスは前任者たちとちがい、敗者をローマに移住させ、市民権を与えて同化させる政策はとらなかった。敗者から奪い取った戦利品を満載した車を連ねて、ローマに凱旋《がいせん》したのである。ローマの人々は、戦利品の多さに眼を見張った。

この路線変更は、その後のローマが他民族のローマ移住をあいも変らず歓迎している事実から、王の個人的な人気獲得のためであったと思われる。とはいえ、周辺をおびやかしていた近隣の部族たちは、しばらくの間にしてもおとなしくなった。タルクィニウスはこの間を利用して、大規模なローマの開発をはじめたのである。

彼は、ローマ人が七つの丘にばかり住んでいるのでは、ローマを活用していることにはならないと考えた。彼の眼は、丘と丘の間に広がる湿地帯に向けられた。

パラティーノの丘の北側に広がる低地は、それまでは溝《みぞ》が網の目のように走る湿地帯だった。そこに下水溝を通せば、低地全体の水を集めることができる。集めた水の排水は、下水溝をテヴェレ河まで引けば解決する。こうして、大下水溝《クロアカ・マクシマ》は着工した。現代でも、巨大な排水口の名残りが、テヴェレの河岸に口を開けている。

この干拓事業によって平地に生れ変ったこの一帯は、はじめの頃は市場に使われていた。だが、各部族ごとに集まっている七つの丘に比べれば、この一帯は中立地帯になる。それに、下水溝の上部をふさぐ必要から、ここだけが石で舗装されていた。それで、少しずつ公共の建造物が占めるように変る。ローマの心臓とさえ言われることになるフォールム・ロマーヌム、フォロ・ロマーノの誕生であった。

パラティーノの丘とアヴェンティーノの丘の間に広がっていた湿地帯も、同じ方法で低地に一変した。ここも、公共の目的に使用される。大競技場《チルクス・マクシムス》が建設された。

そして、同じく周辺の干拓で行き来も楽になった七つの丘のうちでは最も高いカピトリーノの丘の上には、ローマの神々の中での最高神、ユピテル神に捧《ささ》げられた神殿の建設がはじまった。神々もまた、彼らにふさわしい住まいをもつことになったのである。

エトルリア人や南伊のギリシア人の考えからすれば都市には不向きとされてきたローマも、下水溝を駆使した干拓事業とテヴェレの河口に港をもったことによって、それまでのイタリアには見られなかったタイプの都市に変貌しようとしていた。低すぎ、数も多すぎると思われてきた七つの丘も、複数の民族の集合体であるローマでは、それぞれの特色を留めながらも全体をまとめるには利点に変る。タルクィニウスによる干拓事業は、活用できる土地を増やしただけではなかった。民族別のコミュニティの間での交流が盛んになることによって、ローマを一つにまとめることにも役立ったのだ。また、景観の面でも、七つの丘とその近くを流れるテヴェレ河によって成り立つローマは、ただの平野よりも変化に富む美しさをもつ。その美しさが、この時代から生きはじめてくるのだった。

この時期の開発事業の肉体的な遂行者は、ローマ軍団の兵士たちであった。王が兵士を使ったのは、リヴィウスによれば、「平時にも兵たちを戦時と同じに活動させておくため」であったという。後のローマでもこの種の建設作業を軍団兵に担当させる例が多いが、その伝統も、このあたりが発端になったのかもしれない。

しかし、開発を考える人間はおり、それを実現できる土地もあり、また実際の作業に従事する人間はいても、それに必要な技術がなくては話にならない。当時のローマ人は、これだけの大事業を進めていけるだけの技術をもっていなかった。タルクィニウスはそれを、自分が生れ育ったエトルリアから導入する。

干拓の技術、下水溝工事に必要な技術、道路舗装の技術、神殿のような大規模な石造建築を可能にする技術などすべてが、エトルリアから入ってきた。技術指導者として、エトルリア人も入ってくる。ローマには、にわかにエトルリア人の長髪が増えたことだろう。

しかし、この時期のエトルリア技術の導入は、単なる導入で終りはしなかった。ローマ人は、エトルリアの技術者たちの指導に従って働きながら、まねし学びとったのである。これが、後の世界的なエンジニアたちを育てあげる基礎になった。タルクィニウスが導入したエトルリアの技術によって変貌したローマの都市が、もともとが農耕民族であるローマ人を、技術の力に目覚めさせたのである。

ローマへのエトルリア文明の影響は、技術面のみに留まらなかった。

大規模な土木事業には、資材を提供できる人間が必要だ。この面を担当したのも、当時のローマ人には無理であった以上、エトルリア人しかいなかった。商業に手工業という、以前のローマでは家内規模でしかなかった産業が街中に目立つようになる。当然、経済は活潑《かっぱつ》になる。商工業の活性化によって、人々の生活も向上した。ローマは、多くの面で、都市国家としてバランスのとれた構造をもちはじめていたのである。

そんなある日、王タルクィニウスは、一人のエトルリアの少年と出会った。生れは定かではない。奴隷の子であったとする人さえいる。だが、王はなぜかこの少年が気に入り、自分の実の子と一緒に育てることにした。

少年が若者の年齢に達する頃には、彼の利発さと勇気に対抗できる者は、ローマの貴族の子弟の中には一人もいなくなっていた。タルクィニウスは、娘の夫に、このセルヴィウスを選ぶ。だが、王によるこの厚遇が、タルクィニウスの死後の王位を狙《ねら》っていた、先王アンクスの息子二人を不安にした。もしも現王が婿《むこ》を後継者に決めようものなら、彼らの望みはなくなるのだった。タルクィニウスは、治世が三十七年間におよんだ頃になっても、市民たちの人気は高く、元老院の評判も良かったからである。そのタルクィニウスの推薦は、即当選を意味した。アンクスの息子二人は、先手を打つことに決めた。

王の暗殺は成功した。だが、王に代わって彼らの一人が王位に就くことは成功しなかった。

セルヴィウスを少年の頃から育ててきたタルクィニウスの妻が、夫の身に起った変事を知るやただちにセルヴィウスを呼び、いち早く王位を手中にしてしまうよう勧めたからである。王妃には実の息子が二人もいたのだが、王暗殺の直後に呼びつけたのは婿のほうだった。

このような事情があって、第六代のローマ王になったセルヴィウスは、市民集会での選出を経ずに、元老院での決議だけで王に即位したのである。しかし、セルヴィウスを王にもったことは、ローマの市民にとって、またもいっそうの飛躍を約束したことになった。先王タルクィニウスの人を見る眼は、確かであったのだろう。

六代目の王セルヴィウス・トゥリウス

六代目のローマの王となったセルヴィウス・トゥリウスは、高い評価を受けていた先任者の後を継いだ者の例にもれず、先王タルクィニウスのはじめた事業の完成をまず考える。湿地帯の干拓事業とユピテル神殿の建立《こんりゅう》はすでに終っていたので、彼には、ローマ全体を守る城壁の完成が残されていた。

二千五百年後の今日でも「セルヴィウスの城壁《ムーラ・セルヴィアーナ》」と呼ばれ、現代のローマにもところどころならば残っているこの城壁は、ローマの七つの丘すべてを囲いこむ大規模なものである。干拓によって平地に変った地帯にも人が住みはじめていたので、七つの丘とその間の平地からなるローマ全体を囲むのは、防禦《ぼうぎょ》の上からも必要不可欠なことになっていた。

セルヴィウスによって完成した城壁に守られ、また軍事上の成功も積み重なって、この頃ではローマは、周辺の部族の中でも一頭地を抜いた存在になる。

王政後期から共和政前期のローマ

セルヴィウスは、アヴェンティーノの丘の上に、狩の女神ディアナに捧げる神殿を建立させた。この女神は、牧畜業をもっぱらとする周辺の部族たちの守護神だった。その女神に捧げられた、他では見られないほどに立派な神殿をローマの中に建てることは、この女神を敬う人ならば、ローマ市民でなくてもローマに入ることができ、神殿に詣《もう》でることができるということである。神殿に詣でるのだから、武器はたずさえないのが常識だ。

王セルヴィウスは、他者を拒む城壁と他者をも受けいれる神殿の建設を同時に行い、完成させたのである。なかなか味なことをする。

しかし、セルヴィウス・トゥリウスの成した業績のうちで最も重要なものは、軍制の改革であったろう。しかもこれは、軍制の改革であると同時に税制の改革であり、そして同時に選挙制度の改革でもあった。

なぜならば、国民の義務は税金を払うことである。もう一つの義務は、国を守ることである。古代ではローマにかぎらずギリシアでも、直接税は軍役を務めることで支払うのが普通だった。それをしてこそ、一人前の市民と認められた。一人前の市民ならば、当然権利をもつ。市民の権利は、投票権である。それゆえに、軍制は税制にイコールし、選挙制にもイコールするという図式が成り立つのだった。

セルヴィウスは、テヴェレ河に向って広がる湿地帯を干拓し、この広い平地を「マルスの広場《カンプス・マルティウス》」と名づけた。軍神マルスの広場という意味である。軍神の名を冠《かぶ》せたことからも明らかなように、この平地は軍団の集結地に使われた。だが、市民集会の投票場としても使われた。軍制＝税制＝選挙制のローマ人にしてみれば、これはけっして不可思議な取り合わせではなかったのである。

この改革をはじめるに先立ち、セルヴィウスは、ローマではじめての人口調査を行った。とはいえ、彼の主目的はローマの戦力を知ることであったから、この最初の人口調査によってわれわれは、当時のローマの総人口まで知ることはできない。調査の結果である市民の数や経済力をもとにしてセルヴィウスがつくりあげた、新制度を知ることができるだけである。それによれば、ローマ市民は貴族・平民の区別なく、経済力をもとにして六階級に分けられた。図表にすると、次頁のようになる。

図表を見るかぎりでは、いくつかの疑問がわいてくる。

まず第一に、裕福な人々は常に少数であるのに、彼らだけでこの数の兵数がそろうわけはない。金を出して無産者でも傭《やと》ったのか、とは誰もがいだく疑問だろう。

それへの答えは、二つに分れる。答えの第一は、ローマには末期になるまで傭兵《ようへい》の

セルヴィウスの定めたローマの新制度			
	財　産 単位＝アッシス （327ｇの銅）	軍　制 百人隊 （ケントゥリア）	票数
第一階級	100000以上	騎兵　18 歩兵　80	98
第二階級	75000 ≀ 100000	歩兵　20	20
第三階級	50000 ≀ 75000	歩兵　20	20
第四階級	25000 ≀ 50000	歩兵　20	20
第五階級	12500 ≀ 25000	歩兵　30	30
階級外	無産者 （プロレターリ）	歩兵　5（予備役） 国家存亡の危機に限る 常には軍務免除	5
計		騎兵　18（1800） 歩兵　175（17500）	193

制度がなかった。自国の守りを金を出して傭った他人にまかせることを、ローマ人は嫌ったからである。答えの第二は、ローマの有力者は、後に詳述する後援会員のような存在を多くかかえていたので、税制で決められた兵数の提供も、さしたる苦労もなくできたという事実である。

疑問の第二は、票数の少なさであろうと思うが、それは、ローマ独自の投票のしかたにあった。

ローマでは、一人一票ではない。軍団の最小単位でもある百人隊ごとに、一票をもつのである。百人隊の内部で議論し討論し、その結果の統一された意志が一票に結びつく。言ってみれば、小選挙区制である。ギリシアのアテネでは一人一票だったが、ローマでは、百人で一票の方式を守りつづけた。

そして、この図表を見た人はただちに言うだろう。これでは第一階級だけで過半数を制してしまう、と。

まったく、そのとおりなのである。ただ、紀元前六世紀のローマでは、多くの義務を果す者は多くの権利を有するのが当然と思われていた。義務、つまり直接税でもある軍務を免除されていたのは、十六歳未満の未成年男子と、すでに多年の軍務を終えた六十歳以上の老齢者と、女と奴隷と、子供しか財産を持たない者という意味のプロレターリ、つまり無産者だけであった。女でも子のない未亡人は、子供を育てることと夫につくすことによる共同体への義務を果していないと見なされ、騎兵の使う馬の維持費として、年に二百アッシスを支払う義務を課されていたのである。

また、前六世紀にすでに、ローマは二万近くの戦力をもっていたのか、と驚かれると思うが、これは予備役まで加えた数である。二十五歳から四十五歳までの市民で構成される実戦力を、王セルヴィウスは、この半数と計算した。もちろん、指揮官たちには年齢制限はない。王自身からして、終身制だった。

同じ歩兵でも、階級があがるに従って装備も重装化する。重装歩兵と呼ばれるのは、第一と第二の階級に属する人々になる。階級が下がるにつれて軽装になり、第五階級の歩兵ともなると、軍衣も各自自由、武具も、棒と石投げ器、つまりパチンコの類が義務づけられただけだった。軍役は直接税でもあるのだから、服装から武具にいたるまでのすべてが、自己負担であったからである。ちなみに、この巻で取りあげる五百年の間に「プロレターリ」まで召集されたのは、ただの一回だった。反対に、予備役召集はしばしば行われた。

セルヴィウスは、戦法を確立した。

ローマ軍は、前衛、本隊、後衛に三分される。前衛は、まっ先に敵とぶつかって、敵の戦線を乱す役割をもつ。その後、二番手として待機していた軍団の主力・重装歩兵が勝負を決し、いざとなれば三番手の後衛が助けに入る、という戦法である。騎兵は、機動部隊の役割をになった。

ただがむしゃらに押しまくるのが一般的であった当時、セルヴィウスの戦法に従って、隊列も乱さずに攻めてくるローマ軍団の威力は圧倒的だった。周辺の部族との戦闘も、勝利に次ぐ勝利の連続になった。こうして、生れも定かでなかった王セルヴィウスの治世も、安らかな形で終るものと思われた。

だが、不満分子はいつの世にもいる。また、実り多かった彼の治世も、四十四年という長い歳月におよぼうとしていた。

最後の王「尊大なタルクィニウス」

暗殺された先王タルクィニウス・プリスコの後を継いだのは、彼には婿にあたるセルヴィウスだったが、先王には実の息子もいたのである。だが、ローマの王位は世襲ではない。それにセルヴィウスの統治は巧みで実績もあがっていたから、不満分子がいたとしても市民の支持は期待できず、四十四年が無事に過ぎたのだった。だが、その子の代になると、そのような良識はただの臆病に見えてくる。また、王セルヴィウスも、長い多忙な治世の後の疲労と老いが隠せなくなっていた。

セルヴィウスには、娘が二人いた。正反対の性格をもつ娘たちで、一人は勝ち気、もう一人はおとなしい性格の持主だった。そして、先王タルクィニウスの息子のほうにも、二人の男子がいたのである。こちらも正反対の性格をもつ二人で、一人は気の強い野心家、もう一人は穏健な性格の持主だった。

王セルヴィウスはこの四人を結婚させたのだが、似た性格の持主同士は結婚させなかった。勝ち気な王女は穏健な性格の従兄弟《いとこ》に、おとなしい王女は野心家の従兄弟に嫁がせたのである。結婚生活によってそれぞれの性格が中和されるのを期待したからだろう。

だがこれは、失敗だった。気の強い王女トゥーリアは、穏健な性格の夫をことあるごとに軽蔑《けいべつ》した。あなたのような臆病者を夫にしているかぎり、わたしには幸運は微笑《ほほえ》みもしないだろうというのが、彼女の口癖だった。そして、自分と似た性格の義弟を誘惑した。まもなく、おだやかな性格の持主二人ともが、なぜか急死する。互いに独り身になった。トゥーリアとタルクィニウスの二人は結婚した。この結婚に、王は、賛成もしなかったが反対もしなかった。優しかった娘の死の打撃で、気が落ちこんでいたのかもしれない。

しかし、彼は王だった。ローマの王は終身だから、生きているかぎりは王位にある。また、ローマの王位は世襲ではないので、王の娘であっても次の王妃になれるとはかぎらなかった。

トゥーリアは、夫の心に火を点《つ》ける作業にとりかかった。リヴィウスによれば、次のように言いながら。

「もしもあなたが、わたしが考えていたような男だったら、わたしはあなたを夫と思い、男としても尊敬するでしょう。でも、もしもそうでなかったら、わたしの運命は悪くなるばかり。なぜ、踏みきらないのです。なにもコリントやタルクィーニアのような、他国で行動せよと言っているのではない。何を怖《おそ》れているのです。決心がつかないというのなら、コリントでもタルクィーニアでも行ってしまったらいい。そしてあなたも、昔の出にもどったらよいのです」

もともとあった野望に火を点けられたタルクィニウスはまず、ローマに住むエトルリア人たちを味方につけた。彼には祖父にあたる第五代の王タルクィニウス・プリスコの時代にローマに招《よ》ばれ、そのままローマに住みついた人々である。そして、元老院の中でも、ローマの開発事業と商工業で富を貯《たくわ》えた、新興階級に属す議員たちを味方につけることにも成功した。

武装した男たちを従えたタルクィニウスは、元老院で演説した。生れも定かでない者を王に頂くのは、ローマの恥であると言ったのだ。元老院議員たちは、タルクィニウスに賛成はしなかった。だが、彼を追い出しもしなかった。

そこに、変事を知った王セルヴィウスが駆けつけてきた。タルクィニウスは、しかし、王に反駁《はんばく》する時間を与えなかった。王の身体を横がかえにした彼は、そのままで外に出、元老院入口前の階段の上から王を投げ落したのである。屈辱に心をさいなまれながら王宮にもどったセルヴィウスを、タルクィニウスの送った者たちの剣が待ちうけていた。だが、死んではいなかった。まだ息のある父親の身体の上に、娘トゥーリアの駆る馬車が襲いかかった。タルクィニウスは王になり、トゥーリアは王妃になった。

ローマ七代目の王になったタルクィニウスは、先王セルヴィウスの葬儀を禁じた。そして、先王派と見られていた元老院議員たちを殺した。武装した護衛に囲まれてでなければ外にも出なかった彼は、市民集会での選出も元老院での承認もなく王位に就いたのである。その後もずっと、元老院に助言を求めることもしなければ、市民集会に賛否を問うこともしなかった。市民たちは陰で、「尊大なタルクィニウス」と彼を呼んだ。

しかし、国内では独裁的な専制君主の「タルクィニウス・スペルブス《尊大なタルクィニウス》」も、軍事の才能では優れていた。周辺の部族との戦闘でも、勝つのは常にローマのほうだった。和戦両用を駆使しながら勝利にもっていく彼のやり方は巧みだったが、陰険でもあった。

国内に不安をもつ支配者は常に、対外関係を確かなものにしようと努める。タルクィニウスはその相手を、第一には近隣のラテン族に、第二はエトルリアの諸都市に求めた。

百年も前の四代目の王アンクスの時代から、ローマは近隣のラテン人との間に同盟を結んでいた。同じ言語を話し同じ神々を敬う者同士であったから、関係を深めるのは自然でもあり容易でもあったからである。

この「ラテン同盟」は、祝祭日をともに祝うことからはじまった。そのうちに、しばしば戦闘も共同して行うようになった。はじめのうちは、同盟関係も完全に対等だった。だが、ローマの力が強くなるにつれて、力関係も変化する。共闘のやり方も、兵力は平等でも指揮はローマ人が担当するやり方に変った。それでも、戦利品の分配は平等だった。タルクィニウスは、このラテン同盟を更新する。それも、当時ではラテン人とは段ちがいに強力だった、エトルリアを引きこんでの更新だった。ただ、ローマ人の中には、引きこんだのではなくて引きこまれたと考える者も少なくなかったのである。

実際、紀元前六世紀後半のその時期、ローマの中でのエトルリア人の勢力は、以前とは比べようもないほどに強くなっていた。五代目の王にはじまって六代目、七代目と、ローマでは三人ものエトルリア系の王がつづいていたのだ。後世の研究者の中には、この時期のローマはエトルリア人に支配されていたとさえ考える人がいる。

しかし、ローマの中では強くても、ローマの外でのエトルリア勢は、この時期を境に衰退しはじめていた。「尊大なタルクィニウス」の不運は、この変化に盲目であったことにある。彼は、後退しつつある者に、それと知らずに寄りかかってしまったのだ。

急速に発展した民族は、衰退も急速だ。一時はナポリの近くにまで勢力を広げていたエトルリア人も、百年も経ないうちに後退期にさしかかっていた。

スキャンダルは、力が強いうちは攻撃してこない。弱味があらわれたとたんに、直撃してくるものである。それが当人とは無関係なことでも、有効な武器でありうる点では変りはない。

王の息子の一人に、セクストゥスという名の若者がいた。このセクストゥスが、親族のコラティヌスの妻ルクレツィアに横恋慕したのがことの発端だった。胸の中が火のようになった若者は、夫が留守の夜を見計らって、恋する女の屋敷に向った。供は一人も従えていなかったし、親族の間柄でもある。コラティヌス家の人々はルクレツィアともども全員で歓待し、夕食の後には客用の寝室まで用意した。

夜も深まり家中の人々が寝しずまった時刻、短剣をふところにしたセクストゥスはルクレツィアの寝室に忍びこんだ。短剣を突きつけてであったというが、若者は女をわがものにするのに成功する。ただ、若者は、このような場合には絶対にしてはならない誤りを犯した。寝台に伏したままの女をそこに残して、早々に屋敷を後にしたのである。

その夜のうちにルクレツィアは、ローマにいる父の許《もと》とアルディアの戦場に出向いている夫の許に、変事が起ったから信頼できる人を連れて急ぎ来てほしい、と書いた手紙をもたせた召使を送った。父親のルクレティウスは、ヴァレリウスを連れて駆けつける。夫のコラティヌスは、ユニウス・ブルータスとともに駆けつけてきた。

寝台に坐ったままで悲嘆にくれていたルクレツィアは、到着した四人に事情を説明した後、隠しもっていた短剣を胸に突き刺した。そして、苦しい息の下から、男たちに復讐《ふくしゅう》を誓わせた後で死んだ。

ルクレツィアの遺体はローマに運ばれ、フォロ・ロマーノの演説台の上に安置された。人々はその無惨《むざん》さに、王と王の一族の野蛮と傲慢《ごうまん》を口々に非難した。ブルータスは、市民たちを前にして演説した。貞節で行い正しい女たちを、二度とこのような蛮行の犠牲にしてはならないと言い、王タルクィニウスが、先王セルヴィウスを殺して王位を奪った者であることを人々に思い出させた。そして、王と王の一家全員をローマから追放することを、市民たちに提案したのである。

それまでくすぶっていた、ローマ人のタルクィニウスへの不満は爆発した。ブルータスの提案に大歓声で賛意を示した民衆は、ブルータスの、市民兵結集の呼びかけにも応じた。

その頃には、アルディアの戦場にいたタルクィニウスも、変事を知らされていた。

王はただちに、手勢だけを率いてローマへ向う。だが、彼の前に、ローマの城門は閉ざされたままだった。追放に決定したと、告げられただけである。タルクィニウスは、自分に従う兵だけを連れて、エトルリアの一都市カエレを頼って去った。王妃のトゥーリアは、すでにローマを逃げ出していて無事だった。三人の息子のうち二人は、亡命した父と行動をともにした。三人目の息子でことの発端となったセクストゥスは、別の町に逃げたが、以前に侮辱したことのある者の手で殺された。

「尊大なタルクィニウス」の治世は、二十五年にして終った。七代目の王であった彼とともに、ローマの王政時代も終る。ロムルスが建国した紀元前七五三年から数えて二百四十四年目の、前五〇九年のことであった。これ以後、ローマは共和政時代に入る。市民集会で選ばれたにしても任期は終身の王の時代から、市民集会で選ばれることでは同じでも、任期は一年と短い、二人の執政官が統治する時代を迎えたのであった。

だが、王政時代のローマを、一人の王が統治するシステムであったという理由だけで否定的に評価するのでは、歴史を正確に把握することにはならないと思う。共同体も初期のうちは、中央集権的であるほうが効率が良い。組織がまだ幼い時期の活力の無駄使いは、致命傷になりかねないのだ。そのような時期には、一人が決め一人が実行の先頭に立つほうが効率的なのである。

ローマの七人の王たちの歴史は、少々出来すぎと思うくらいに、適時適材適所の原則がまっとうされた歴史であった。ローマは、これらの王たちによって、たくましい根を地中深く根づかせることができたのである。

王たちがいずれも、相当に長命であったのも幸いした。考えが実行に移され、その成果があらわれるまでの時間を、それぞれの王が持てたことになる。これによって、王が代わっても、先の王の業績の上に安心して新王の業績を築くことができ、中断という形の活力の無駄使いも避けることができたのだった。

おそらく、ローマの王政は、前六世紀末には使命を終えていたのであろう。ルクレツィアの事件は、使命を終えた王政に、とどめを刺したにすぎなかったのではないかと思われる。

第二章　共和政ローマ

ローマ、共和国に

歴史家リヴィウスは、共和政時代に入ったローマをあつかう『ローマ史』の第二巻の記述を、次のようにはじめている。

「これ以降は、自由を得たローマ人が、平時戦時のいずれにおいても、どのように生きたかを述べることになるだろう。ローマは、一年ごとに選挙で選ばれる人々によって治められ、個人よりも法が支配する国家になるのである」

私的なスキャンダルを巧みに利用し、王政打倒にまでもっていった最大の功労者はルキウス・ユニウス・ブルータスである。彼は、以後五百年もの間つづく、共和政ローマの創始者になった。

ブルータスは、王を追放した直後にフォロ・ロマーノに市民たちを集め、その場で全員に、以後ローマはいかなる人物であろうと王位に就くことは許さず、いかなる人物であろうとローマ市民の自由を犯すことは許さない、と誓わせた。そして、王に代わる国の最高位者として、一年ごとに市民集会で選出される、二人の執政官の制度を創設したのである。第一回目の執政官に選ばれたのは、ブルータスと、自殺したルクレツィアの夫のコラティヌスだった。

ルキウス・ユニウス・ブルータスは、歴史にはときにあらわれる、先見と実行の能力をともにそなえた人物であったのだろう。彼の母は追放された王タルクィニウスの姉妹だから、王とは叔父と甥《おい》の関係にある。ブルータスという姓も、もともとからの姓ではない。馬鹿者を意味する言葉から生れた、綽名《あだな》である。専横をほしいままにしてきたタルクィニウスの時代を、「阿呆《ブルータス》」と軽蔑《けいべつ》されながら隠忍《いんにん》してきたのだという。その綽名が、結局は姓になった。

しかし、阿呆呼ばわりされても王の甥ならば、権力の近くにあって、すべてを冷静に観察する機会には恵まれていたにちがいない。情報も豊富であったろう。その彼だからこそ、もはやローマは、効率的ではあっても王になる個人の意向に左右されないではすまない制度は、捨ててもよいまでに成長したと判断できたのではないか。改革の主導者とはしばしば、新興の勢力よりも旧勢力の中から生れるものである。

一人の王が行ってきたことを、専横を防ぐ目的から二人で行うことになった執政官だが、再選は許されるにしても任期は一年と短い。この種の制度を有効に機能させるには、権威とともに権力ももつ、安定した機関の存在が必要だ。ブルータスは、王政時代からある元老院を強化した。

ロムルスの時代には百人であった元老院議員は、五代目の王タルクィニウス・プリスコによって倍増されていたが、それをさらに三百人に増員したのである。新たに任命された議員には、新興勢力に属す有力家門の家長が多かった。

元老院議員の任期は、終身である。また実際に、一年の任期で次々と入れ代わる執政官を輩出できる機関は、有力家門の家長の集まりである元老院しかない。権威と権力も、元老院ならば不足はなかった。

そして最後は、ローマ市民権をもつ者ならば誰でも参加できる市民集会。

王、元老院、市民集会というローマをささえる三本の柱は、王が執政官に変っただけで、権力の三極構造はそのままでつづくことになったのである。

共和政ローマでは、元老院での演説は、次の呼びかけではじめられるのが慣例になっていた。元老院議員諸君、と言う代わりに、

「パートレス・コンスクリプティ」

ではじまる。直訳すれば、

「父たちよ、新たに加わった者たちよ」

とするしかないのだが、この呼びかけが慣用句になるのも、共和政のはじまった紀元前五〇九年からである。ブルータスの改革によって、多くの新参者が元老院に席を得たからであった。

それにしても、旧来の元老院議員と新参の議員を分けて呼びかけるやり方は、一見救いようもない旧弊に見えるが、実はなかなか巧妙なやり方ではなかったかと思う。「パートレス」と言って、旧勢力をまず立てる。次いで新勢力に言及するのだが、「新たに加わった者たちよ」という呼びかけをつづけるかぎり、永久に新たに加える可能性をもちつづけるということになる。

実際、ローマの元老院は、元老院という日本語の訳語で連想しがちな、がんこな老人たちの集まりではまったくなかった。それも、演説のたびに議員たちは一人残らず、「パートレス・コンスクリプティ」ではじめるのが慣例になっていて、そうしているうちに新参者に元老院の扉を開くのにも、抵抗感が薄れるということはありはしなかったか。もちろんこれは、史料の裏づけさえない想像である。だが、言葉の力というものも、そうそう馬鹿にしたものではない。

とはいえ、二百五十年もの間慣れてきた王政から共和政への移行は、やはり大変革であった。変革時には、あらゆることが次々と起る。変革が変革を呼ぶからだ。前五〇九年に誕生したローマ共和国も、この歴史の例から無縁ではいられなかった。

ローマの有力な家門に属す若者たちの間では、一つの不満が頭をもたげつつあった。親たちはよい。元老院議員でなかった者までが議員に任命され、執政官になれる可能性まで生れたのだから満足している。しかし、自分たちはどうだ。家長になり元老院に入れるようになるには、家長の死まで待たなくてはならない。だが、王がいた時代はちがった。王の気持次第で、抜擢《ばってき》される可能性は充分にあったのだ。名門の若者たちは、共和政に移行した結果、自分たちの活躍の機会が減ったと感じ、それが不満だったのである。

秘《ひそ》かに仲間の一人の家に集まった若者たちは、追放されている王タルクィニウスを呼びもどすと決めた。王政復古を決議した、各人の血の署名つきの誓約書までつくる。ところが、この家の奴隷《どれい》の一人が、この一部始終を立ち聴きしていた。奴隷は、執政官に密告した。

時をおかず、陰謀に加担した全員が逮捕され、証拠の誓約書も押収された。尋問に当った二人の執政官にとっては、深刻な打撃であったろう。若者たちの全員がよく知った仲の者たちであり、会合の場になったそのうちの一人の家は、執政官コラティヌスの親族の家だった。そして、王政復古を謀《はか》ったこの若者たちの中には、執政官ブルータスの二人の息子もいたのである。

ただちに召集された市民集会で、若者たちの署名のある誓約書が読みあげられた。彼らのうちの誰一人、国家反逆罪とされた告発に対して反駁《はんばく》できた者はいなかった。民衆は、黙ったままで見守る。そのうちの幾人かが、ブルータスの胸のうちを想ってか、追放の刑に処すことを提案した。執政官コラティヌスの頰に流れる涙が、人々に、死刑ではなく追放刑になるかもしれないと思わせた。執政官の決定でも、二人のうち一人が反対した場合は効力をもたないと決まっていたからである。

だが、ブルータスはこのとき、執政官としてではなく、子に対しては生殺与奪の権利さえもあると認められている、ローマの家族の家長として行動した。

ルキウス・ユニウス・ブルータス

ブルータスは、被告席に立つ自分の二人の息子に向って言った。

「ティトゥス、ティベリウス、お前たちはなぜ、お前たちに向けられた告発から身を守ろうとしないのか」

二人の若者は黙ったままだった。父親の質問は三度くり返されたが、答えはなかった。ブルータスは、警士たちに向って言った。

「これ以後のことは、あなた方の仕事になる」

刑の執行は、その場でただちに行われることになった。まず、首謀者ということでか、ブルータスの息子二人が、衣服をはぎ取られ後ろ手に縛られた。鞭打《むちう》ちがはじまった。その場にいた人々の誰一人として、この残酷な情景を直視できた者はいなかった。ただ、ブルータスだけが、視線をそらすことさえしなかった。倒れるまで鞭打たれた若者二人は、今度は一人ずつ引きずられ、斧《おの》で首を斬《き》られた。そこまで立ち会った後ではじめて、父親は退席した。

ブルータスの態度への賞讃が高まるのと反対に、もう一人の執政官コラティヌスの振舞いには疑いがまき起った。市民たちは、裁判の席での彼の涙まで疑った。コラティヌス自身も、彼を見る人々の眼が変ったことに気づく。貞節を守って自殺したルクレツィアの夫であったというだけで執政官に選出されていたコラティヌスには、この変化は耐えがたかった。自ら執政官を辞した彼は、家族ともども隣国に亡命した。ローマには、自主的に亡命した者には罪は問わないという、不文律があったからである。空席になった執政官の地位には、有力者ではあっても先王タルクィニウスとは血のつながりのない、ヴァレリウスが選出された。

ブルータスの非人間的な行為も、家父長の権限を誇示したいがためになされたのではない。彼は心配だった。そして、彼の心配は的中した。

先王タルクィニウスは、王位への復帰をあきらめてはいなかった。亡命先のエトルリア地方を精力的にまわり、エトルリアの諸都市に軍勢を貸してくれるよう説得していた。ローマからのエトルリア勢の一掃に不満を強くもっていたのが、エトルリアの諸都市の中でも地理的にローマに最も近い、タルクィーニアとウエイの二都市である。追放中の王に援軍を約束したのも、この二都市だった。そして、軍勢をもったときのタルクィニウスの武将としての手腕は、王位在任中に証明ずみだった。

名門の若者たちによる王政復古の試みが失敗に終ったことを知ったタルクィニウスは、もはや王位は力で奪回するしかないと感じた。彼は、軍を率いて南下をはじめた。迎え撃つローマ軍は、執政官二人が指揮をとる。騎兵隊はブルータスが率い、歩兵軍団はヴァレリウスが指揮をとることになった。

　両軍は、ローマの城壁から一日の距離のところで出会した。散在する森の間に狭い平地がある場所で、見通しはあまりきかない。ブルータスの率いる騎兵隊が前を進み、ヴァレリウス率いる歩兵軍団は少し遅れて行軍していた。

　エトルリア軍の騎兵隊は、タルクィニウスの長男アルンテスが指揮をまかされていた。ローマの騎兵隊を認めたアルンテスは、自軍の前面に馬を進めた。そして、ローマの騎兵隊に向い、指揮官同士の一騎打ちを提案した。ブルータスも、馬を駆って前面に出た。

　従兄弟《いとこ》同士の闘いでもあった。二人の間には作戦などはなかった。怒りと絶望だけしかなかった。アルンテスには自分たちを追放した張本人への怒りが。ブルータスには、公人と私人の狭間《はざま》を埋めきれなかった者の絶望が。

　大将同士の激しい撃ち合いは、見守る両軍の兵たちの前でしばらくつづいた。力は伯仲していた。ほとんど同時に、二人の大槍《おおやり》が相手の胸深く貫いた。そして、くし刺しになった姿のままで、もんどりうって落馬した。

　これが、両軍の兵たちの戦意に火を点《つ》けた。彼らは大将の遺体を思いやるよりも、敵兵にぶつかっていった。激闘は騎兵隊にとどまらず、追いついた歩兵軍団の間でもくり広げられた。ヴァレリウスが指揮をとるローマの歩兵に対し、エトルリアの歩兵を指揮するのは先の王タルクィニウスである。こちらも、勢力は伯仲していた。

戦闘は、日が落ちるまでつづいた。だが、自領内に引き返した両軍の陣営で、その夜のうちに奇妙な噂《うわさ》が広まっていた。ローマ軍の戦死者の数よりもエトルリア側の戦死者の数が一人だけ多く、戦いはローマ側の勝利に終るという風聞だ。兵士たちは、それを神の声だと信じた。

翌朝、ローマ軍は戦場にもどったが、エトルリア軍の姿はどこにもなかった。ヴァレリウスは、ブルータスの遺体とともにローマに凱旋《がいせん》した。

ブルータスの葬式は国葬で行われ、ローマの女たちは、父親が死んだときと同様、一年間の喪に服した。

指導的な立場に就いた者ならば、遅かれ早かれ、人々の嫉妬《しっと》と疑いと中傷を浴びないではすまなくなる。ヴァレリウスも、例外ではなかった。

共和政の創始者ブルータスの壮烈な死に涙したローマの人々は、その涙が乾かないうちにもう、生き残った執政官ヴァレリウスに疑いの眼を向けはじめていた。

第一に、四頭の白馬を駆ってのヴァレリウスの凱旋式が気にいらなかった。戦勝後の凱旋式はロムルス以来のローマの伝統であったが、ヴァレリウスがはじめて、凱旋将軍の駆る四頭立ての戦車を引く馬を、四頭とも白馬にしたのである。彼が大変な金持であったからできたことなのだが、市民たちにとっては、彼個人の王者趣向のあらわれに思えた。

第二は、フォロ・ロマーノを一望する丘の上に立つ、彼の宏壮《こうそう》な屋敷だった。これもまた、王の居城でもあるかのように市民には見えたのである。

そして最後は、ブルータスの死によって空席になった執政官の席を、ヴァレリウスがただちに埋めようとしないことだった。これらのことから人々は、彼は執政官ではあき足らず、王位を狙《ねら》っているのだと噂しはじめた。

これに気づいたヴァレリウスは、大勢の職人を傭《やと》って、一晩のうちに自分の屋敷を壊させてしまった。そして、土地の値も安いローマの城壁近くの地に建てさせた質素な彼の家では、出入口の扉は開け放たれたままにしておかれた。誰でも自由に出入りでき、彼の暮しぶりをじかに見ることができるようにとの考えからである。

だが、これで終りではなかった。ヴァレリウスは、民衆に評判の良さそうな法律を次々と制定していった。

その一つは、王政時代では王の管理下にあった国庫を、以後は財務官が管理すると決めた法である。政治と軍事では最高権力者である執政官といえども、国の財政には関与しないと決めたこの法は、市民たちの喝采《かっさい》を浴びた。

もう一つは、司法官のくだした判決に対しても、ローマの市民権を有する者は、市民集会への控訴の権利があるとした法である。人権を重視したこの法の制定は、後世にいたるまで、ローマの重要な法概念を形づくることになる。

だが、ヴァレリウスの制定した法律の中には、世論を味方につけたいあまりに、良識の限界を踏みはずしたものもないではなかった。

その典型が、直訳すれば、「王位を狙った者は誰であれ、その者の生命と財産は神々のものになる」とした法である。つまり、王位に野心をいだいた者を殺しても、証拠さえあれば罪に問われないということになる。これは、ヴァレリウスにしては軽率であった。証拠さえあればと言うが、客観性をもつ証拠はこのような場合、どこまで可能であるのか疑わしい。単なる疑惑が、とりようによっては証拠とされる危険がなくもない。だが、この法も、ずっと後までローマ人を縛ることになるのである。

これらの法を次々と制定した後ではじめて、ヴァレリウスは同僚の執政官選出のための市民集会を召集した。選ばれたのは、操《みさお》を守って自殺したルクレツィアの父だったが、老齢のためにまもなく死んだ。空席はただちに埋められたが、新執政官に選出されたホラティウスには、仕事をする時間は残されていなかった。執政官の選出は常に二人一緒に行われ、途中選出の場合でも、任期終了の期日は動かなかったからである。

いずれにしても、この年に制定されたいくつかの法によって、立案者であるヴァレリウスの人気は高まる一方だった。人々はこのヴァレリウスを、公共（プブリカ、つまりパブリック）の利益を重んずる者という意味の「プブリコラ」という綽名で呼ぶようになる。翌年の紀元前五〇八年の執政官選挙でも、プブリコラの再選は問題なかった。同僚には、ホラティウスの再選はならず、ティトゥス・ルクレティウスが選ばれた。

しかし、プブリコラの民心懐柔策も、あの時期では必要であったとするしかないだろう。共和政移行直後のローマには、王政時代には存在しなかった多くの問題が生じていたからである。ローマ人の団結がなければ、共和政も、芽が出たところでつみとられていたにちがいなかった。

まず第一に、それまでは向上しか知らなかった、国力の低下があった。エトルリア系の王は三代つづき、いずれの王も、ローマに大規模な開発事業とそれにともなう商工業の発展をもたらしていた。当然、これらの王に技術と経済力を提供していたエトルリア人の、ローマでの地位と力の向上はめざましかったはずである。ローマにおける王政から共和政への移行は、商工業を独占するエトルリア系ローマ人に対する、農牧をもっぱらとする先住ローマ人の反撥《はんぱつ》だとする学者もいるほどである。

エトルリア寄りだった王タルクィニウスの放逐は、これらのエトルリア系ローマ人の立場を微妙なものにしたにちがいない。ブルータスが元老院に百人もの新興階級出身者を迎えいれたのも、この人々をローマにつなぎとめる策であったかと思われる。王は放逐したが、それは王と王一家の専横によるもので、ローマのエトルリア人を排除するものではない、ということを示すためだ。だが、その効果のほどだが、半ばは成功したが半ばは不成功に終るのである。

元老院に議席を提供されるほどは有力でないエトルリア人にとって、エトルリアの諸都市相手に戦いばかりするようになったローマが居心地良いはずはない。他国からの流入しか知らなかったローマは、このときはじめて、他国への流出を経験することになったのである。技術と経済力をもったエトルリア系ローマ人の流出は、ローマの国力を低下させずにはおかなかった。この時代のローマは、大規模な建設事業をまったくと言ってよいほどしていない。

そして、国力の低下は、近隣諸部族への威信の低下につながった。「ラテン同盟」の名の許《もと》に軍事上の同盟関係にあった、同じラテン語を話し同じ神々を祭る近隣の諸部族も、自分たちとちがう政体に変え、しかも国力の低下したローマを同盟国と思わなくなる。互いに軍勢を提供しあい、その軍の指揮はローマの王がとるのが習いになっていた同盟軍も、これからの指揮は執政官がとると言われて、釈然としなかったこともあるかもしれない。一年が任期の執政官の指揮に、王たちが従うことになるからだった。それに、国力の低下したローマは、もはや突出した存在ではなくなっている。

結果として、新生ローマは、同盟諸国まで敵にまわすことになってしまった。「ラテン同盟」とて、弱肉強食の時代の産物にすぎなかったのだ。そのうえローマの国力の低下の影響で、戦いも決定的な勝利にまではなかなかもっていけなかった。ほとんど毎年、ローマは、近隣諸国相手の戦闘をくり返さざるをえなくなったのである。

共和政移行によって生じた問題の第三は、エトルリアを完全に敵にまわしてしまったことであった。衰退期に入っていたとはいえ、当時のエトルリア諸都市の国力はローマの比ではない。戦場での両軍の軍装の差が、それを如実《にょじつ》に示している。華美な軍装を競うエトルリアの戦士たちに対し、ローマの兵たちの軍装は、銅と皮革が精いっぱいであった。

エトルリア相手の戦闘には、国力以外にもう一つ不利なことがあった。エトルリア側には、タルクィニウスを再び王にもどすという大義名分があったからである。暴君と考えたのはローマ人だけで、エトルリア諸国にしてみれば、タルクィニウスは信頼のおける同盟者だった。そして、放逐されたタルクィニウスには、王位奪回の意志は充分にあった。

紀元前五〇九年から前五〇三年までの六年の間に、ヴァレリウス・プブリコラは、執政官に四期選ばれている。二期務めたティトゥス・ルクレティウスを除けば、他はみな一期、つまり一年かぎりの執政官である。ということは、この間になされた政策はプブリコラの頭から生れたものと考えてよいだろう。

エトルリア人の流出によって低下したローマの経済力の回復を、プブリコラは、オスティアの塩田でとれる塩の販売を個人から国家に移すことで解決しようとした。塩は、流通貨幣をもたない当時のローマでは、他国からの物産の輸入に通貨の代わりをしている。プブリコラは、生活必需品の第一である塩の国有化というよりも、通貨の国有化を考えたのである。何よりも、国庫収入の確保が先決だった。

だが、これだけならば、輸入代金に値上げされた塩を使うしかなくなった商人たちの通商業への意欲の減少につながり、経済力の回復どころではなくなる。それで、プブリコラは、彼らに課されていた間接税を軽減した。これによって、それまでは商人でなかった者までが、通商を業《なりわい》とするようになった。間接税の減少分が帳消しになるだけでなく、ローマはエトルリア人に頼らなくても、農牧国家に逆もどりする危険から脱出できたのである。同時に、自前の技術も生れはじめていた。そして、優遇されたこれらの新中産階級が共和国政府を支持するようになるのも、当然の帰結だった。

また、プブリコラは、他国人のローマ移住にも積極的だった。ローマの近隣部族の中でもラテン民族に属す人々の間に、同じ言語と同じ神々をもつラテン人同士が争うことの無意味さを主張する人々がいた。彼らは力もあった。プブリコラは、この人々に呼びかける。呼びかけに応じた人々のうちで最も有名な例は、五千人もの一族郎党を引きつれてローマに移ってきたクラウディウス一門だろう。プブリコラは、この人たち全員にローマ市民権を与え、居住の地も与え、一門の長アッピウスには、元老院の議席を提供した。昨日の移民も、今日からはローマの指導者階級に参加できることを示したこの例は、近隣の人々のローマへの移住に拍車をかける。この政策は、エトルリア人の流出で生じた穴を埋める効果があったと同時に、近隣のラテン民族の力を弱める効果もあった。

しかし、エトルリアは強敵だった。そして、「尊大なタルクィニウス」は、王位奪回のためならば、ひざを屈して懇願することさえするようになっていた。

エトルリアの二都市タルクィーニアとウエイの援軍を率いての戦闘に敗れたタルクィニウスは、その後は同じくエトルリアの連邦に属すキュージの王の許に逃げていた。キュージの王ポルセンナは、タルクィニウスを王位に復帰させるための戦いをローマに宣告する。今度は援軍提供ではない。王自ら軍を率いての宣戦だった。

ポルセンナの名はローマでも、名君と同時に有能な武将として知られていた。恐怖に突き落とされたローマ人の中には、王政にもどってもいいと言う者まで出てきた。ポルセンナの軍は、一挙に南下してくる。早くもテヴェレ西岸にあるジャンニコロの要《よう》塞《さい》が占領され、そこがポルセンナの本陣になった。

最初の戦闘は、テヴェレ河にかかる橋をめぐって行われた。エトルリア側は、橋を確保したい。ローマ側は、それをさせまいとする。最後にはローマ側が勝って、橋は焼き払われた。

ポルセンナは、攻撃戦から包囲戦に作戦を変えた。すべての舟が徴収された。それに乗ってテヴェレを渡ったエトルリア兵は、七つの丘を囲むローマの城壁ぞいに陣を布《し》いた。テヴェレの通行の自由も、エトルリア側の手に落ちる。南から河を昇って運ばれてきていた小麦が、ローマには一粒も入らなくなった。

執政官プブリコラは、敵の戦力の分散を考える。包囲されたローマからの脱出者に見せかけた羊飼いが、牛や羊の群れとともに、テヴェレ河からは最も遠い距離にあるエスクィリーノ門から外に出た。エトルリア兵の間に、この容易な獲物の知らせが広まるのは早かった。彼らはわれ先にと陣を捨て、家畜の群れの後を追った。テヴェレの西岸に陣取っていた兵たちまでが、舟で河を渡ってこの略奪行に合流した。

敵兵の動きを知ったプブリコラは、前もって立てておいた作戦どおり、各部隊を指揮する将たちに命令を発した。

一人は、東に開いたエスクィリーノ門から撃って出る。もう一人は、北に開いたコリーナ門から出撃した。執政官ルクレティウスは、南に開いたネヴィア門から兵をくり出す。プブリコラ自身は、南東に開いたカペーナ門から出撃した。

家畜を追いまわすのに夢中になっていたエトルリア兵は、突然背後を突かれて浮足立った。彼らは、追いまわす側から追いまわされる側にまわってしまったのだ。この日の混乱で、ポルセンナの受けた損失は大きかった。

だが、包囲は解かれなかった。ローマにある小麦も、底が見えるまでになっていた。このローマに、ムキウスという名の若者がいた。彼は、ローマを救うにはポルセンナを殺すしかないと考えた。だが、独断で決行した場合に、脱走兵と思われでもしたらと、それが心配だった。元老院に行き、執政官二人と元老院の許可を得た。ムキウスは、短剣だけをたずさえ、泳いでテヴェレの西岸に渡った。

敵陣への侵入は成功した。王に近づくのも成功した。ポルセンナは、兵たちに給料を払っているところだった。ただ、王を一度も見たことのないムキウスには、兵に金を払っている一群の人の中で誰が王なのかが見分けがつかなかった。一般の兵士以外のエトルリア人は全員、ローマ人から見れば王かと思うほどの高価な服を着ていたからである。ローマの若者は、金を渡しているからあれがポルセンナだと思い、その人物めがけて短剣もろともぶつかっていった。殺すことには成功したが、それは王でなく王の秘書だった。

周囲にいた人々によって押えつけられたムキウスは、王の前に引き出された。だが彼は、胸を張って王に言った。

「わたしは、ローマ市民。名は、ガイウス・ムキウスという。敵を殺そうとして果せなかったが、死ぬ覚悟は充分にある。運命を甘受するのは、ローマ人の特質でもある。

ローマの若者たちは、あなたへの終りなき闘いを宣告する。戦場でことを決するのではない。わたしの後にはもう一人、その一人も果せなかったら別の一人と、闘いはわれわれとあなたの間でのみ続行されるのだ。王も、覚悟されるがよかろう」

怒ったポルセンナは、拷問《ごうもん》にかけても背後関係を探ろうとしたが、若者は一段と声を張りあげた。

「臆病者だけが、自らの肉体を大切に思うのだ！」

こう叫んだ若者は、燃えているたいまつを左手でつかみ、それを自らの右手に押しつけた。人間の肉の焼ける臭《にお》いが、あたりを満たした。ポルセンナは、若者に向って言った。

「もうよい。お前はわたしに与えるよりも大きな痛手を、お前自身に与えた。お前の豪胆さを賞讃するとしよう。わたしの民の中にも、お前のような若者がいればたいしたものだが。お前を、何の条件もつけずに自由にする。さあ、立ち去れ」

ガイウス・ムキウスは、これ以後「左ききのムキウス」と綽名されるようになる。焼けただれた右手が、使えなくなったからだった。

ローマ時代の子供たちは、この種のエピソードに眼を輝かせながら聴きいったのだろう。彼らには学ぶべき歴史もまだ少なく、英雄譚《たん》を愉《たの》しむ時間も充分にあったのだ。それに比べて二千年後のわれわれときたら、学ぶべき歴史もやたらと増え、おかげで無味乾燥な棒暗記をするしかなくなっている。

余談は措《お》くとして、このエピソードの後、ポルセンナのほうからローマに和平が申しこまれた。

プブリコラは、エトルリアの王の出してきた二つの条件のうち、一つは拒絶し、もう一つは受けいれた。拒絶したのは、タルクィニウスの王位復帰であり、受諾したのは、前年の戦いで獲得していたウエイの領土の返還だった。ポルセンナもそれで満足し、和平成ったエトルリアの軍はテヴェレ西岸の陣営を引き払い、キュージにもどって行った。タルクィニウスは、王位復帰の望みが再び遠のいたことを知った。

しかし、これでローマとエトルリアの間が、完全に平和になったわけではない。ポルセンナとの和平は一時の休戦にしかすぎなかったが、それでもローマには一息つけることを意味した。

紀元前五〇三年、ローマが共和政になって六年が経《た》った年、プブリコラが死んだ。裕福だった財産もなくなっていて、葬式の費用も出せないヴァレリウス家のために、ローマ人は一人ずつ金をもち寄り、プブリコラの葬式を挙行した。ブルータスの死のときと同じに、ローマの女たちは一年の喪に服した。

ローマの共和政は、ブルータスによって種が蒔《ま》かれ、プブリコラによって根づいたのである。そして、この二人の後につづいたローマ人で、王政にもどそうと考える者はもはやいなかった。

ギリシアへの視察団派遣

これまでのローマ人を物語るには、ローマの周辺だけを述べていればよかった。範囲を広げたにしても、せいぜいがところエトルリア地方、それもローマと国境を接している南部エトルリア地方にふれるだけでこと足りた。南イタリア一帯に根づき、早々と繁栄を享受《きょうじゅ》していたギリシア植民都市群にいたっては、当時の一般のローマ人には、たまに訪れる商人を通じてしか知られていなかったであろう。その頃のローマと南イタリアの間には、いまだに広大な土地と多くの民族が立ちふさがっていたからである。

紀元前六世紀末からはじまり前五世紀の前半をおおう共和政初期、ローマの勢力のおよぶ範囲は、テヴェレ河周辺から河口にかけての狭い地域にすぎなかった。東京都の十分の一程度の広さしかなかったわけだ。

国境線が今日のように明らかでないことからも正確な比較は不可能にしても、南伊のギリシア植民都市のターラントやシラクサは、当時のローマの三倍から五倍の勢力圏を誇っていた。アテネは十倍、カルタゴはそれ以上であったろう。ロムルスによる建国から三百年が過ぎてもなお、前五世紀半ばのローマの勢力は、この程度でしかなかったのである。

ところが、地図でも拡大しなければ領域さえ明確に示せないほどに小さな都市国家でしかなかったその時代、ローマは、地中海世界では先進国であったギリシアのポリスと、はじめて接触をもつのである。南伊のギリシア植民国家を通じての接触ではない。本国のギリシア諸国、とくにアテネやスパルタとのダイレクトな接触だった。

王政から共和政に移行したがゆえに生じた種々の問題もひとまずは解決し、休む間もない周辺民族相手の自衛戦争も一段落した前五世紀半ば、ローマ人ははじめて成文法なるものを作ることになった。

それまでのローマの法は、言ってみれば不文律の集成で、それらに通じているのは支配階級にかぎられていた。これに不満をもった民衆が、法の成文化を要求したのである。文章になれば誰でも読めるからだ。民衆側の権利獲得へのスタートは、法の成文化を求めることからはじまる場合が多い。

元老院に体現されるローマの支配階級は、はじめのうちはこれに抵抗した。貴族政と呼んでもよい共和政を樹立してから、いまだ半世紀と経っていない。彼らの意気は盛んだったし、彼らが第一線に立って守った共和政ローマの国境は安泰だった。

しかし、ローマの民衆は実に有効な武器をもっていた。兵役拒否という、ストライキに訴えたからである。ヤヌスの神殿の扉が閉じられる暇もないほど、戦いの季節である春から秋にかけて毎年のように戦争せざるをえなかったローマにとって、このストライキは痛手だった。元老院は、ローマにも成文法をつくることを承知したのである。それで、法が治める都市国家としては先進国であるギリシアに、調査団を派遣することになった。三人の元老院議員からなる調査団の団員には、政府の要職の経験者が選ばれた。彼らは、ローマの有力家門に属す男たちでもあった。

三人のローマ人によるギリシア視察は、一年間におよんだ。イタリアとギリシアの距離は、当時の船足にしても一カ月は必要としなかったであろう。出発と帰国の日時を明らかにする史料はないが、ギリシア滞在はまるまる一年と考えてよいと思う。歴史家リヴィウスは、調査団の行き先をアテネとしか記していないが、これほども長期間、さして広くもないギリシアに滞在したのだ。アテネからは山越えの難路にしても数日の距離にある、スパルタも訪れたにちがいない。ソロンの改革で有名なアテネだが、スパルタにはリュクルゴスの改革があった。

このときの調査団の報告をたたき台にしてつくられた「十二表法」については、後に述べることにする。ここで編年式の記述は一休みして、紀元前五世紀半ばにいたってローマがはじめて接触の名に値する接触をもった、アテネとスパルタを主とするギリシアについて述べてみたい。ローマを物語るには、ギリシアにふれることなしには物語れないからである。

では、ローマよりは先発民族であったギリシア人は、ローマからの調査団を迎える前五世紀半ばまでに、どのような歩みをしてきたのであろうか。

ギリシア文明

ギリシア文明は、紀元前二〇〇〇年前後に、ギリシア本土ではなくクレタ島にはじまった。クレタ島のほうが本土ギリシアよりも、その当時の先進文明であるエジプトに近かったからであろう。新しい文明は、なぜか周辺から生れる。クレタの文明について、歴史家ツキディデスは次のように述べている。

「ミノス王の創設した船隊によって、クレタ周辺の海域の航行は安全になった。なぜなら、ミノスは、船隊を使ってクレタ近辺の島々を征服することで、それらの島々を根城にしていた海賊たちの一掃にも成功したからである。海賊に略奪されることもなくなったクレタの人々の富は増し、石造りの屋敷までもてるようになった」

クレタ文明の最盛期は、紀元前一七〇〇年から前一五〇〇年頃とされている。だが、前一三五〇年前後を境にして、エーゲ海の主人公であったクレタ文明も急速に衰退した。大地震によるのか本土のギリシア人の来襲によるのか判然としないが、前一三五〇年頃に首都クノッソスが破壊されている。これが、優雅で華やかだったクレタ文明の晩鐘になった。その後のクレタの歴史は、ギリシア本土の歴史に追従するだけに変る。それでも、昔日の栄華の名残りは、十九世紀の考古学者アーサー・エヴァンズの発掘によって、今日でもクレタの地に見ることができる。

周辺が中心に変れば、別の周辺が生れる。ギリシア本土でも南のペロポネソス半島にあるミケーネを中心とする一帯が、ギリシア文明の新しいにない手になった。歴史上、ミケーネ文明と呼ばれるものである。

武人たちの支配する、国体であったようである。彼ら武人たちは、ホメロスの叙事詩『イーリアス』と『オデュッセイア』によって、後世のわれわれにも親しい。アルゴスの王アガメムノン、スパルタの王メネラオス、テッサリアの王アキレス、イタカの王オデュッセウス。アカイア人と総称されるこの人々が、紀元前一二五〇年前後に起り、十年の攻城戦を経て終る、トロイ遠征の主人公たちであったのだ。トロイの王子パリスに誘惑されトロイに連れ去られたスパルタの王妃ヘレナを、奪い返すためにはじまったのがトロイ戦役であると、詩人ホメロスは歌う。最高の美女ヘレナをめぐる話でもあり、ギリシアの神々もトロイ側とギリシア側に分れて応援したりするから、世界文学最高傑作の一つという評価にふさわしい愉しさだ。だが、真相に近いことを求めようとすれば、武を頼んだギリシア人がトロイの富を奪おうとしての遠征、というところが史実であったろう。

いずれにしても、トロイの落城で凱歌《がいか》をあげたミケーネ文明も、そのわずか半世紀後の前一二〇〇年頃には早くも滅亡していた。歴史を愉しむ傾向のある人は、次のように言う。

「十年もの間家を留守にして遠いトロイで戦争ゴッコに熱中していたものだから、その間に国内の秩序は乱れ国力も衰え、外来民族に簡単に征服されてしまったのだ」

当らずといえども遠からず、ではないかと思う。十年にわたったトロイ戦役を終え、山ほどの戦利品をもって帰国したギリシア軍の総大将アガメムノンは、王妃と王妃の愛人によって浴室の中で殺されたのである。ただし、詩人ホメロスは、勝者たちを襲ったこれらの惨事を、トロイ側を応援していた神々の怒りによるとしている。いずれにしても、ミケーネ文明を滅ぼしたのは、北方からギリシアに南下してきたドーリア民族であった。

小アジアの西端に位置するトロイと同じにシュリーマンによって遺跡が発掘され、ホメロスの叙事詩が単なるフィクションではなくて史実でもあったと実証されたミケーネ文明も、紀元前一二〇〇年を境にして姿を消した。ミケーネ文明のにない手であった人々が、殺されたり奴隷にされたりして、まさに徹底して排除されてしまったからである。ドーリア人のもたらした破壊はすさまじく、ギリシア全土はこの後、四百年もの間完全に沈黙してしまう。前一二〇〇年から前八〇〇年までのこの沈黙の時期を、ギリシア史では、「ギリシアの中世」と呼ぶ。すべてが沈静化し、活潑《かっぱつ》な活動に特色のある二つの時代の中間の時期、という意味である。

しかし、「中世」とは、常に二期に分れる。受けた傷を癒《い》やすための安静期と言ってもよい前期と、回復に向う後期と。回復期に入ると、まだ芽は出なくても土の下には根が張りめぐらされるものである。そして、ギリシア史上では、華やかだったホメロスの英雄たちは青銅器しかもっていなかったが、野蛮なドーリア人は鉄器をもっていた。

ギリシア人は彼らの「中世」から、紀元前八〇〇年前後に脱出する。ポリスと総称される、都市国家の時代に入るのである。ドーリア人によって建設されたスパルタと、ドーリア民族の侵入から逃れていたアカイア人によって建国されたアテネが、ポリスの代表になっていく。そして、ポリスの誕生とともにこの時期のギリシア再生を特色づけるもう一つの現象は、ギリシア人の海外への植民活動であった。

植民活動は、人口が増えそれを自国内で養いきれなくなったがゆえに起る現象である。ギリシアは、テッサリア地方を除けば豊かな耕地に恵まれていない。農耕や牧畜よりも生産性の高い商工業でもはじめなければ、増大した人口は養っていけなかった。だが、紀元前八世紀当時のギリシア人は、まだ後の商工業民族になっていない。また、この時期、アテネ、スパルタ、コリント、テーベ等の都市国家も、ようやく形成がはじまったばかりだった。そのうえ、ポリスという形にしろ小国家の分立状態にあったということは、狭い土地をめぐってのポリス間の争いが絶えなかったということである。前七七六年には、第一回のオリンピア競技会が開かれている。四年に一度戦闘をやめ、オリンピアの地に集まって体育競技を愉《たの》しむということは、それ以外の時期は戦闘をしていたということだ。とはいえ誕生直後のポリス群の勢力は互いに伯仲していて、戦闘に勝ってもそれはただちに領国の拡大にはつながらなかった。自国内で生活の資を得ることができなかったり政争に敗れた人々には、海外に〝雄飛〟するしか道は残されていなかったのである。この時期のギリシアの植民が、ギリシアの一地方にかぎらず、全ギリシアの規模でなされたのも、ギリシアでは植民活動が、ポリスの形成と表裏の関係にあったからであった。

ギリシア人の植民活動は、二つの時期に分れて行われた。

第一次の植民活動は、紀元前九世紀の終りから前八世紀のはじめにかけてなされ、植民先はもっぱら、小アジアの西岸に集中している。エーゲ海は多島海という意味だが、多くの小島が散在するこのエーゲ海では、島伝いに対岸の小アジアに渡り、そこに自分たちの都市を建設するのは、当時のギリシア人にとってはごく自然な選択であったろう。ロードス島もこの時期から、ギリシア人の住む島になった。小アジアの西岸一帯、つまりイオニア地方の誕生である。クレタ、ミケーネと移動してきたギリシア文明の中心は、アテネよりも先にこのイオニア地方で花開くことになる。哲学の祖ターレス、歴史学の先達ヘロドトス、医学の祖ヒポクラテス。ホメロスもこの地方の出身といわれている。ギリシア本土よりも、第一次植民活動の舞台であったイオニア地方のほうが、オリエントに近いためか先に富を築いたからだった。いち早く富を築くには、当時では通商しかない。通商とは、異文明との接触である。接触は、情報という形による刺激をもたらす。そして富は、その刺激を別の形に転化するのに大変に便利なものである。

ギリシア人による第二次の植民活動は、第一次からおよそ半世紀を経た、紀元前八世紀の半ば前後になって行われた。この時期の植民の範囲は、もはやエーゲ海域ではなく、全地中海に広がった。そして今回は、ギリシア本土にかぎらず、第一次の植民

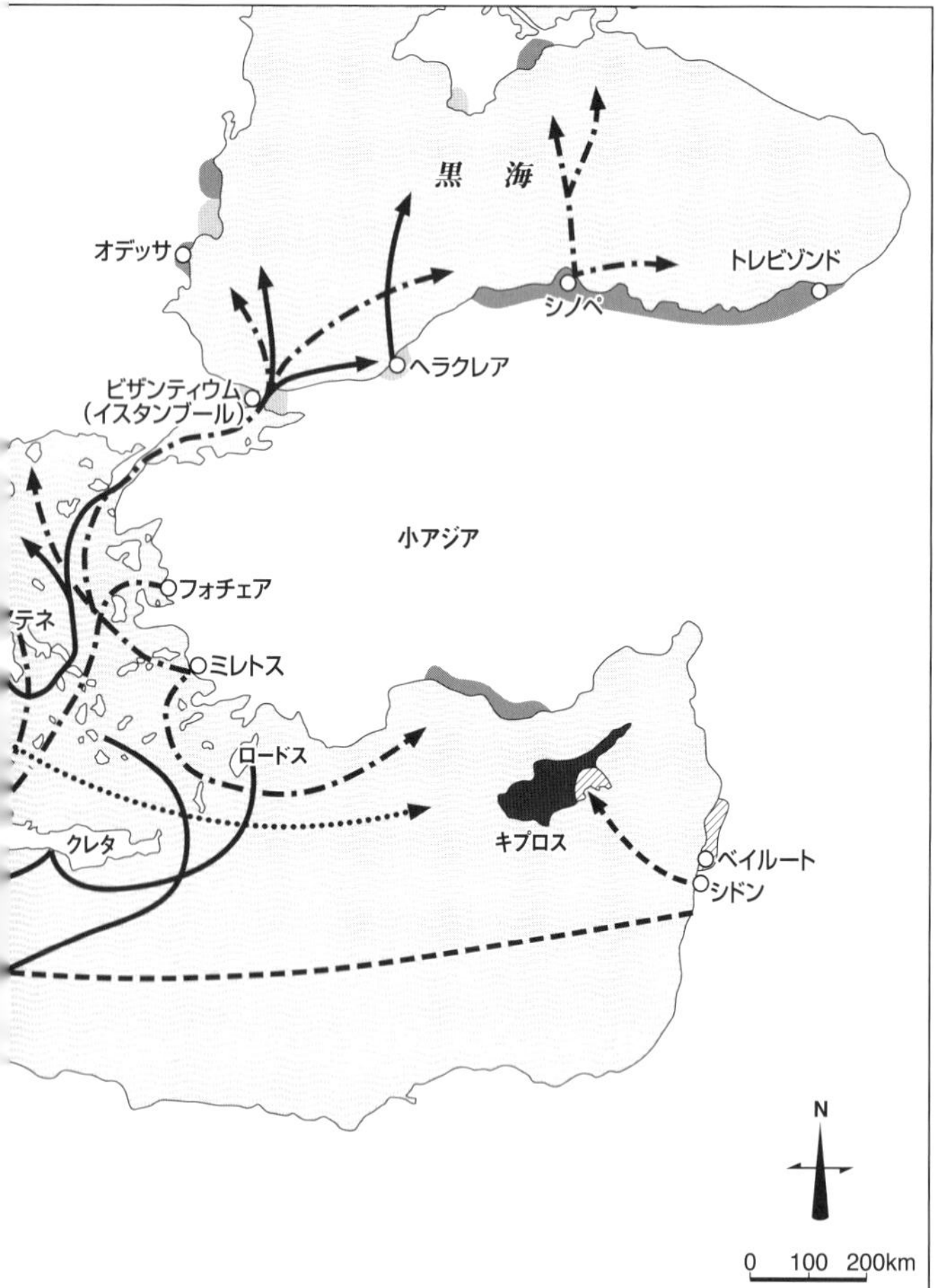
黒　海
オデッサ
トレビゾンド
シノペ
ヘラクレア
ビザンティウム
（イスタンブール）
小アジア
フォチェア
テネ
ミレトス
ロードス
キプロス
クレタ
ベイルート
シドン
N
0　100　200km

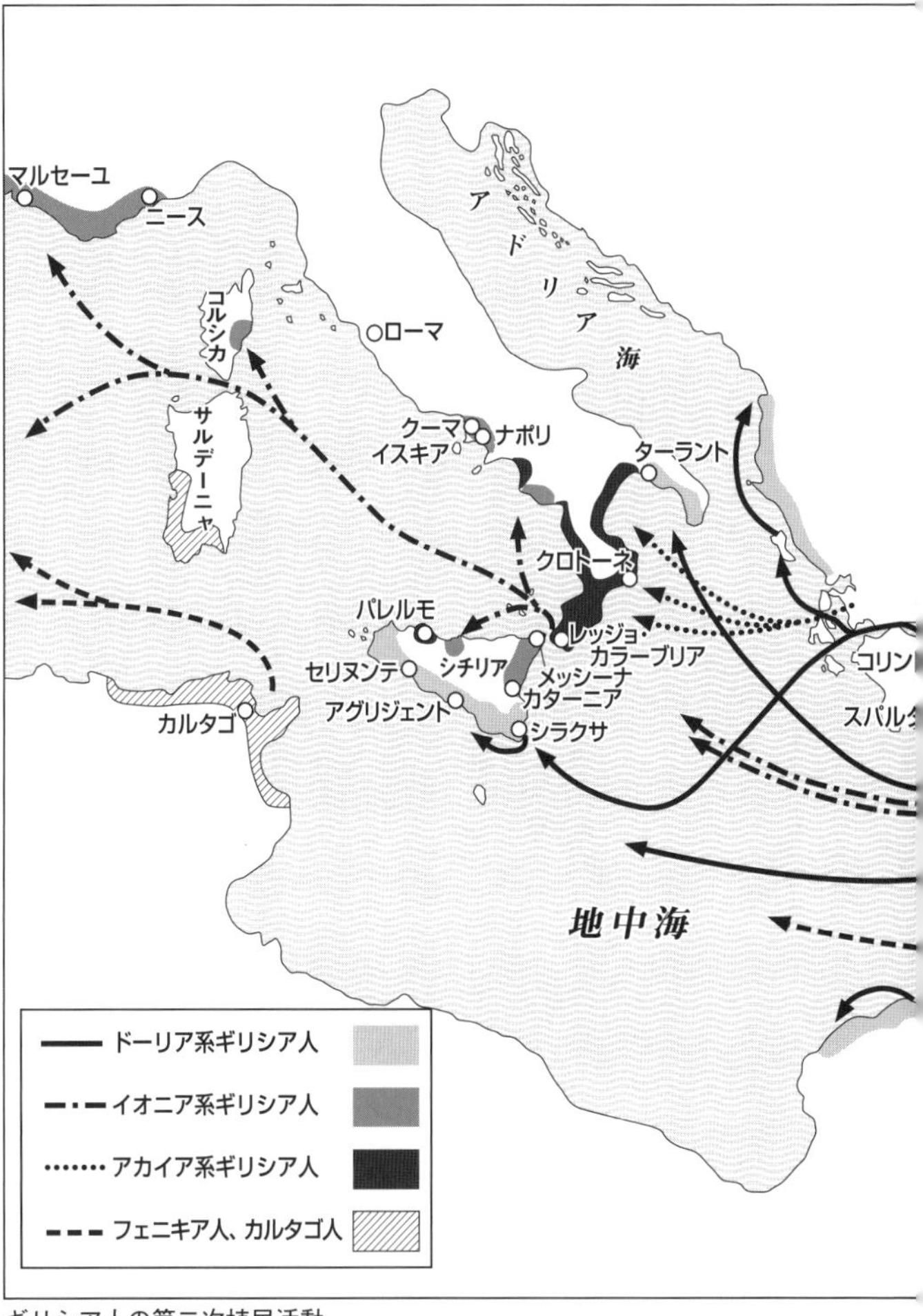

ギリシア人の第二次植民活動

活動の舞台であったイオニア地方の諸都市も加わっての植民である。それゆえ、自国内で食べていけなくなったり政争に敗れた人々が植民の主人公になっただけでなく、ギリシア人本来の、進取の気性の噴出であったと言えなくもない。実際、第二次の植民先には、先住民族がもともといないか、いても弱い地域が選ばれている。なにやら、現代のベンチャー・ビジネスを連想させないでもない植民活動であった。

ギリシア本土のギリシア人の入植が最も盛んであったのは南イタリアだったが、マルセーユを中心とする南仏にもスペインの東岸一帯にも、彼らは都市を建設した。イオニア地方のギリシア人の植民先は、やはり近いという理由でか、キプロス島から黒海にいたる地方を網羅している。第一次植民活動によって、エーゲ海はギリシア人の海と言えるようになったが、第二次植民活動を経た後では、ギリシア人の世界は地中海全域に広がったのである。海上で彼らに対抗できるのは、当時では、フェニキア人の植民によって建設されたカルタゴだけであった。

第一次第二次と、短期間のうちに波状攻撃ででもあるかのように挙行されたギリシア人の植民活動は、二つのことでわれわれを考えさせてくれる。
第一は、とくに第二次の植民に示された活動舞台の広さである。フェニキア人も植民したが、カルタゴを建設しその余波がスペインにおよんだ程度で、ギリシア人のように全地中海に広まっていない。

　ホメロスの叙事詩の中の『オデュッセイア』は、木馬の計によってトロイ戦役を勝利に導いた功労者オデュッセウスの、その後の十年間の漂流譚《たん》を物語った作品である。ところが、このオデュッセウスの漂流先たるや、地中海の東端にあるトロイからはじまり、西の端のジブラルタルにいたるまでの地中海全域におよんでいるのである。しかも、彼が漂着した地の多くは、紀元前八世紀半ばに行われた第二次植民活動による、ギリシア人の入植先の近辺なのだ。

　ホメロスのもう一つの叙事詩『イーリアス』は、叙事詩の舞台となった地を発掘したシュリーマンによって、詩人の空想の産物だけではなかったことが実証されている。『オデュッセイア』でホメロスが物語った主人公オデュッセウスの漂流先も、どの辺にあたるかの研究はなされている。それによれば、『オデュッセイア』もまた単に荒唐無稽《むけい》なお話ではなく、当時のギリシア人にとっては未知の土地でもなかったようなのだ。前八世紀当時にすでに、ギリシア人の視界には全地中海が入っていたのであろう。

　こうも強かったギリシア民族の海外雄飛の性向は、彼らの特質でもあった、好奇心

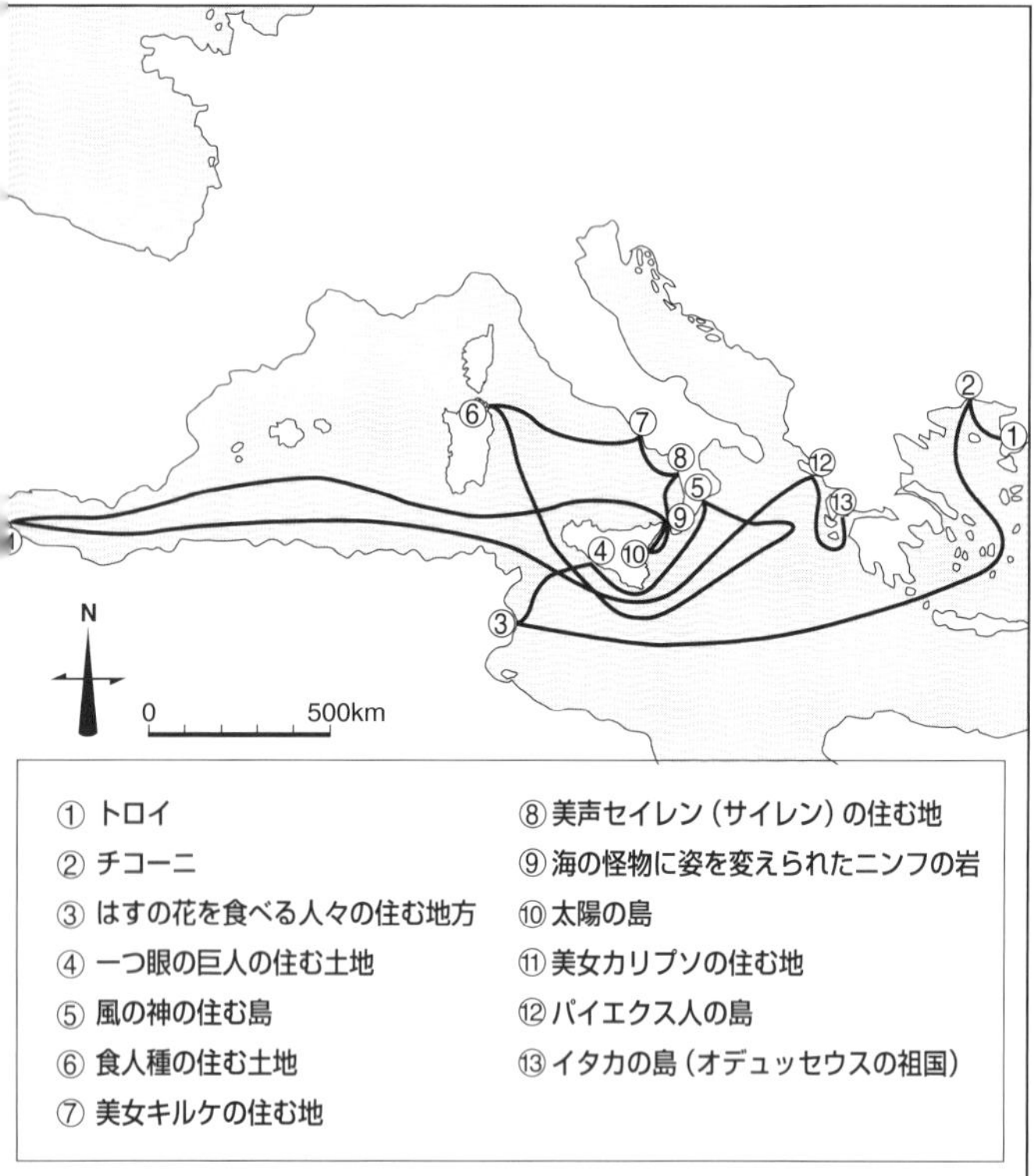

① トロイ	⑧ 美声セイレン (サイレン) の住む地
② チコーニ	⑨ 海の怪物に姿を変えられたニンフの岩
③ はすの花を食べる人々の住む地方	⑩ 太陽の島
④ 一つ眼の巨人の住む土地	⑪ 美女カリプソの住む地
⑤ 風の神の住む島	⑫ パイエクス人の島
⑥ 食人種の住む土地	⑬ イタカの島 (オデュッセウスの祖国)
⑦ 美女キルケの住む地	

オデュッセウスの漂流経路——ホメロス『オデュッセイア』による

と冒険心と独立心の果実であった。しかし、この彼らの性向こそが、母国と植民都市の関係を、ローマのそれとはまったく異なるものにしたのだった。

ギリシア人の植民活動がわれわれを考えさせないではおかない第二のことも、まさにこれにある。

例えば、ナポリだが、その近くにあってイタリアでは最も古いギリシア人の入植先であったとされているクーマとともに、アテネ人の植民が建設した都市を起源にしている。ナポリという名も、新しいポリスという意味の名で、ギリシア語ではネアポリスと言った。だが、このナポリでは、古代でさえもアテネ的なところはまったく見られない。イオニア的なところでさえ皆無だ。母国とは、ほとんど無関係に発展した都市だからであろう。

長靴に似た形のイタリア半島の南に、ちょうど靴のかかとから土ふまずに入るあたりにターラントがある。今日ではイタリア最大の製鉄所と地中海に開いた軍港の町として知られているが、この町の起源もまた、前八世紀半ばにスパルタ人が建てた植民都市に発している。だが、このターラントにも、スパルタを連想させるものは古代からなかった。

シチリアの東部に位置するシラクサは、今日では古代の遺跡とそこで毎年催される古典劇の上演で知られる町だが、古代には、地中海有数の都市として、有名であると同時に重要きわまりない都市であった。プラトンがたびたび訪れ、アルキメデスを生んだ都市としても知られている。このシラクサもギリシア植民都市を起源としていて、建設したのはコリントからの入植者たちだった。コリントは、アテネやスパルタに次ぐ、ギリシアでは有力なポリスである。だが、シラクサもまた、母国のコリントとの関係は実に薄かった。

この三都市をはじめとするギリシア起源の諸都市はいずれも、母国との関係が希薄であることで共通している。ナポリの町の発展に、アテネ的なところは影さえもさしていない。ターラントも、スパルタとはまったくちがう政体と、まったくちがう生き方を選んだ。母国であるコリントをはるかに上まわる繁栄を享受《きょうじゅ》したシラクサにいたっては、コリントよりもアテネとの関係のほうが強く、関係が強すぎた結果、戦争までしている。

植民という形で海外に飛躍したギリシア人たちは、母国から、ギリシア語とギリシアの宗教と、進取の気性と独立への執着だけをもってきたのではなかったか。しかし、母国と植民都市のこのありようは、ギリシアとローマを分つ特質の一つでもあった。ローマは、後述するように、これとは反対に実に密な、ということは実に有機的な、関係を成立させていくからである。

ギリシア人にとっての紀元前八世紀は、海外雄飛の時代であると同時に、国内でも充実した時代だった。ギリシア人の活力を最も効率よく発揮させることになる、ポリスの形成がなされたのがこの時代である。そして、ギリシア人の発明した国体であるポリスを代表するのが、アテネとスパルタであったのだ。

アテネ

アテネを首都にするアッティカ地方は、広さ二六〇〇平方キロメートルと、耕地に恵まれているとはいえないにしても、岩だらけのギリシアでは広いほうに属する。アテネの近くには天然の良港ピレウスもあり、海に向って開かれた地方だった。また、ギリシアに侵入してきたドーリア人の支配を逃れられたこともあって、アカイア人としての純血も相当な程度には保たれていたようである。このアテネの建国者を、伝説は、クレタ島の暴君ミノスを倒したテセウスに帰している。建国初期の国々の例にもれず、アテネもまた初期の政体は王政だった。

それが、紀元前八世紀頃には貴族政に移行する。貴族出身の九人の統領が、一年任期で、行政と軍事と祭事を担当し、それ以外の貴族たちで構成される長老会議がこれを補佐し、自由な市民からなる民会は、あっても発言権はほとんどなかったという政体であった。

だが、前七世紀に入ると、この貴族政体はアテネの現状に合わなくなった。土地の所有に経済力の基盤をおく貴族階級に対し、商工業によって力をつけはじめていた新興階級が台頭してきたからである。彼ら自由市民層には、経済力は獲得したのに国政への参加は拒否されていることへの不満が強かった。また、大土地所有者である貴族たちとは反対に、狭い土地しか所有せず、それゆえに借金に苦しまされることの多かった自作農階級も、貴族への反撥《はんぱつ》に同調した。

これらの、デモスと呼ばれる市民たちの最初の勝利は、前六二〇年前後のこととされる、法律の成文化である。これによって、貴族階級は、法が不文律であった時代には勝手気ままにふるまうこともできた、司法権を失った。だが、この程度の手直しでは、「デモス」の不満は解消されなかった。ここで、ソロンが登場する。前五九四年、改革を実行するうえでの強権を既成支配層である貴族たちに認めさせた彼は、歴史上、「ソロンの改革」と呼ばれる政治改革に着手した。

ソロン自身は、台頭しつつある商工業者層に属していたわけではなく、借金に苦しむ小土地所有者階級の出身でもなかった。広大な土地をもつことでアテネを牛耳ってきた、名門貴族の出身である。彼もまた、歴史にはときにあらわれる、先を見透すことのできる人間であったのだろう。

ソロンはまず、自作農たちを借金地獄から救済するための政策を立て、それを法制化した。農民たちの借金は大はばに軽減され、返済できなかった者が貸し主の奴隷にされる従来の制度も廃止した。古代社会では当り前のこととされてきた、借金の返済が不可能な場合には奴隷になって肉体で返済するという制度を全廃したのである。これは、古代社会でははじめての、人権尊重の例となった。

ソロン個人も、穏健でリベラルな考えの持主であったようである。「デモス」の急進派が要求した、すべての私有地を没収していったんは国有地にし、それを等分に分配しなおすという案をしりぞけている。彼自身、次のように書き残している。

「市民には、妥当な名誉を与えた。彼らの権利を取りあげもせず、といって、それに新たにつけ加えることもせずに」

しかし、ソロンの行った改革の最大の眼目は、政治改革であったろう。彼はまず、人口調査を行った。そして、それによって明らかになった事実をもとに、不動産の多少とそれによってもつ権利は比例の関係にあると決めた。こうして、国政参加の権利が出身階級に左右されることがなくなった。

王政は、一人で行うという意味でモナルキアと呼び、貴族政は、選ばれた少数の人が担当するがゆえにアリストクラツィアと呼ばれる。一方、ソロンによってはじめられた、資産の多少が権利の多少に比例する制度は人口調査をもとにしているという意味で、ティモクラツィアと名づけられている。日本ではこれを金権政と翻訳する研究者が多いが、これだとどうしても、票を金で買うほうの金権政治を思い浮べてしまいがちだ。それでここでは「資産政」と訳すが、収入の多少が権利の多少につながるというのはけしからん、と思う人も多いにちがいない。

だが、貴族に生れなければ国政参加の権利がもてなかった貴族政に比べれば、当時としてはよほど進化した政体なのであった。血はどうしようもないが、財ならば、それを得るのは才と運しだいだからである。また、古代では、いやフランス革命以前では、平等という理念でも、平等が当然である人々の間での平等としか考えられていなかった。それに、権利を農業収益の多少に比例させるという考えも、さして理不尽な考え方ではない。商工業で財を築いた人々も、土地などの不動産に投資して築いた財の保全をはかるのが、今日でも一般的な傾向である。

ソロンは、このティモクラツィア、つまり資産別に、アテネの全市民を四階級に分けた。収入の多い者から順に、第一階級、第二階級、第三階級ときて、無産とされた市民は、第四階級を構成する。

まず、義務だが、第一と第二の階級に属す市民は、自己負担の軍備軍装での騎兵として、兵役を務める義務があった。第三階級に属す市民たちも、軍備軍装の自己負担は同じだが、馬も準備しなくてはならない第一・第二階級よりは、経済上の出費は軽くなる。重装歩兵としての兵役が、この人々に課された義務である。おそらく人数でも、この第三階級が最も多かったのだろう。古代の軍隊の主力は、重装歩兵であったからだ。そして、第四階級に属す市民たちには、軽装歩兵か艦隊の乗組員としての兵役が義務づけられていた。

次いで、義務に伴う権利だが、政府の要職は第一と第二の階級が占め、第三階級は行政官僚を務め、第四階級は、選挙権は有しても被選挙権はもたないと決められたのである。

地中海世界ではどの国よりも先んじた「ソロンの改革」が、アテネを貴族政から脱却させ、ポリスと言われればただちに思い浮べる民主政の都市国家に移行させたことは明白である。アテネの発展の第一歩は、このソロンによって踏み出されたのであった。

しかし、改革というものは、改革によって力を得た人々の要求で再度の改革を迫られるという宿命をもつ。「ソロンの改革」も、この宿命から無縁ではいられなかった。

アテネは、ピレウスに良港をもっている。しかも第一次の植民活動でアテネ人が大挙して移住した小アジアのイオニア地方では、アテネより先に通商による繁栄を迎えていた。アテネは、この東方からの刺激を受けないではすまなかったのだ。そのうえ、「ソロンの改革」によって、貴族でなくても資力さえあれば、国政の要職を務めるのも夢ではなくなっていた。それに、ソロンによる資力の重視は、ソロンの改革では農業収入に限定されていたとしても、アテネ人の資力に対する考え方を変えずにはおかなかった。そして、通商が盛んになるとともに、アテネの市民たちは、従来のように貯《たくわ》えた資力を土地に投資するよりも、海運や通商業に投資するようになったのである。もともとギリシアの土地は瘦《や》せているので、投資効果ということならば、盛んになりつつあった海運や通商業に投資するほうが効果的であったのだ。

動産を築きはじめた市民たちが、不動産を基盤とした政体に満足しなくなるのは時間の問題でしかない。とはいえしばらくの間は、ソロン個人の権威に刃向う勇気は誰にもなく、問題の表面化は避けられたのである。だが、ソロンが公生活から引退するやもなく、人々の不満は爆発した。

しかし、爆発した力を秩序立てることのできる人物に恵まれなかった当時のアテネでは、権力の空白状態が待っていただけだった。無政府状態、つまりアナルキアである。

まったく、アテネの政体の変移は政治の教科書そのもので、われわれにあらゆる政体を示してくれるという点で実に役に立つのだが、ここにいたってアテネも、ギリシアの他のポリスと同じ体験をもつことになったのだった。アナルキアの末の、ティラニア、つまり独裁政である。

無政府状態の混乱と実りなき政争に疲れ果てたアテネ人は、秩序さえ回復されれば後は何でもよいと考えるようになる。だが、それを自分たちで実現する能力もないままに、一人の人間に託したのだった。

ペイシストラトスも、ソロン同様名門貴族の出身である。ただし、この名門貴族は、自らの権力の基盤を、彼の属する貴族階級でなく、民主派と呼ばれた新興階級においた。商工業者で構成されている新興階級のほうが、土地所有者である既成階級よりも経済の発展に敏感であり、経済の発展には政治の安定が何よりも大切であることを、知っている人々であったからである。

ペイシストラトスが最初に独裁政を布《し》いたのは紀元前五六一年だったが、そのときは統一戦線を組んだ反対勢力によってほどなく追放されてしまう。だが、この失敗に学んだ彼は、十五年後の前五四六年、今度は武力を用いてアテネへの復帰を果した。この年から死までの二十年間、ペイシストラトスは、アテネを独裁下におきつづけたのである。

だが、政体の変遷を学ぶのは教科書どおりでよいが、各政体の良否を判断するのは、教科書どおりではいかない場合がある。ペイシストラトスによる二十年間の独裁は、アテネに平和と秩序を与えただけでなく、経済面では、空前の繁栄をもたらすことにもなった。

考古学調査によっても、まさにこの時代、それまでの地中海世界の陶器市場を支配していたコリントやサモスやミレトスやロードス製のものに代わって、見事なつくりのアッティカ製の陶器が台頭してきた事実が証明されている。赤絵や黒絵の壺《つぼ》で有名なアッティカ地方の陶器が、地中海の高級陶器市場を独占する時代がはじまったのであった。

独裁者ペイシストラトスの行った外政も、このアテネの「経済の時代」に適合したものであった。

彼は、アテネの軍事力の主柱を海軍においた。そして、エーゲ海の制海権確保には欠かせない、いくつかの島や地域の獲得に成功する。サラミスやデロスは再びアテネの支配下に入り、エーゲ海の島々にもイオニア地方にも勢力圏を広げ、支配下におくことのできないギリシアの他の都市国家やリュディア王国やペルシア帝国とは、友好な関係を樹立するよう努めた。そのうえ、第二次の植民時代にはあまり積極的でなかったことの遅れをとりもどすために、ヘレスポントの近辺には中継基地をつくった。黒海周辺の国々との通商の振興を考えての策である。国内では、鉱山業の振興にも力をつくした。

しかし、独裁政は、当事者の才能や性格に左右されないではすまない。ペイシストラトスの才能は認め、彼の独裁には従ったアテネ市民たちも、ペイシストラトスの死の後を継いだ彼の息子たちの独裁までは我慢しなかった。前五一〇年、アテネの独裁政は、スパルタの後援を受けた貴族たちによって打倒された。

独裁政を倒した貴族たちもそれを後押ししたスパルタも、独裁政を倒した後のアテネには貴族政が復活するものと思いこんでいた。だが、先頭に立って独裁を倒したクリステネスは、アテネに貴族政を復活させるのは、アテネの現状からして妥当な策ではないと考えたのである。

ペイシストラトスの独裁下での二十年の平和と秩序は、商工業にたずさわるアテネ市民の経済力を高め、アテネの経済の中心は、もはや明らかに土地から商工業に移っていた。この状況下で、土地所有に力の基盤をおく貴族たちを再登場させたのでは、現実無視もよいところである。そこでクリステネスは、ソロンの改革を復活させたにとどまらず、アリストテレスの言葉を借りれば、「より民主的な方向に政体を改革した」のであった。

クリステネスの行った政治改革は、まず行政改革からはじめられた。

都市国家アテネの領国であるアッティカ一帯は、大きく三つの地域に分けられる。首都アテネと海港ピレウスをふくむ第一域、海岸地帯全域を網羅する第二域、内陸部の第三域である。この大区分はさらに、それぞれが十の小区分に分けられる。そしてまたこの小区分はそれぞれ、人口密度に適応した「デモ」に分けられた。アッティカ全体では、この「デモ」が、百五十から百七十あったといわれている。デモは、「区」

とでも訳したらわかりやすいであろうか。そして、この「デモ」が、ポリス・アテネの公生活のベースになった。

この改革以後は、アテネ市民の名も、名前、父親名、所属するデモとつづいて、正式の名となる。例えばソクラテスは、アロペケのデモのソプロニコスの息子であるソクラテス、ということになる。属する家系や一門を示す名称は、完全に消滅した。クリステネスの改革が、「民主的」とされる由縁である。

そして、民主的とされるもう一つの由縁は、アテネの全地方を行政区別に分割したこの改革が、結果としては所有地があちこちで分断されることになった貴族階級の力の基盤を崩壊させたことにあったのである。クリステネスの行ったこの改革は、国土を純粋に行政上の目的によって分割した、歴史上では最初の例になった。

クリステネスは、政治システムの改革も行った。ソロンによる改革がティモクラツィア（資産政）と呼ばれるのに対し、クリステネスの改革によって生れた政体は、デモス、つまり民衆による政体という意味で、「デモクラツィア」と呼ばれる。都市国家アテネは、前六世紀末にいたって、文字どおりの民主政体を確立することになったのである。

まず、市民集会の権限が強化された。市民集会には、二十歳以上のアテネ市民の全員が出席の権利を有する。また、アテネではローマとちがい、一人が一票をもった。国の最高機関とされた市民集会は、年に数回召集された。開戦の賛否を決するのも、講和を締結するか否《いな》かの決議も、他国との同盟関係から政府の役員の選出まで、すべてが市民集会で決められた。

クリステネスは、ソロンの改革の柱であった四階級制度は残した。ただし、階級を分ける基準は、ソロンの時代のような農業収入ではなく、業種の別なしの収入の多少によると変えた。これによって、商工業に従事する階層の政治上の発言力は、一段と強化されたのである。

さらに、クリステネスは、後世の省庁に似た組織まで創設した。五百人会議と呼んでもよい機関で、各区ごとに抽選で選ばれた、三十歳以上の市民によって構成される。抽選なのだから、生れも財産も才能も無関係だ。総勢五百人からなるこれらの人々で構成されたこの機関が、実際の政務を担当した。この会議の議長さえも、月に何回か開かれる会議のたびに、抽選で選んだというのだから徹底している。

そして、クリステネスは、ソロンの時代には一年任期の九人で構成されていた政府役員を、一人増やして十人とし、新しく「ストラテゴ」という名を与えた。ストラテジーの語源になる言葉である。この「国家政戦略担当官」と呼んでもよい役職に就く十人は、毎年の市民集会で選出される。これが、ポリス国家アテネの内閣になった。

クリステネスの実施した改革の最後は、追放したいと思う人物の名を陶片に記して投票することから陶片追放と呼ばれた、一種の自浄システムである。独裁政を避ける目的でつくられたのは明白だ。市民集会は毎年、過半数さえ得れば、一説では六千の陶片が必要であったというが、その権威と権力がアテネのために危険であるとされた市民を、十年間国外に追放する権限をもつことになった。

ただし、この追放には、その市民の名誉を汚す意味はなく、陶片追放されても、その当人にとっては何ら恥ずべきこととは思われていなかった。それゆえに、市民としての諸権利を失うわけでもなく、財産を没収されることもなかった。ただ単に、十年の間アテネから追放され、国外のどこかに住まわねばならなかっただけである。十年が経《た》てば、再びアテネにもどってきて、「ストラテゴ」に選ばれることさえ可能なのだった。要するに、アテネの民主政にとって危険と思われた人物を「陶片追放」し、その人物もその人物をかつごうとしていた人々も、当分の間頭を冷やせ、という意味をこめてつくられた制度であったのだ。十年間という期間も、頭を冷やすに充分な期間と思われていたのであろう。

いずれにしてもこの時期、世界史上はじめて、一般市民が国政に直接に参加できる政体が誕生したのである。後世はこれを、「直接民主政」と呼ぶ。市民の一人一人が、権力の行使とダイレクトにつながったわけだ。この時期のアテネの民主政は、現代まで見わたしても、他国にも影響力をもつ規模と重要性をもった国家における、最初にして唯一《ゆいいつ》の実例となった。

当時のアテネの有権者の数は、つまり成人に達した男性市民の数は、三万から四万であったといわれている。首都からは遠い地方に住んでいたり、通商やその他の用事で海外に出向いていたりして、首都アテネでの市民集会出席が不可能であった者も多かったろう。常時の出席数は、一万程度であったといわれている。

一万としても、大変な数である。ギリシア人特有の旺盛《おうせい》な独立意識が議論好きな性向と相乗作用を起し、議事進行も並々でない難事であったと想像される。また、一万人のすべてが、国政水準での判断力をもっていたかということも問題だ。だが、この点に関しては、二千五百年を経た現代でも未解決の課題として残っているのだから、深入りは無用の労だろう。とはいえ、この時代のギリシア人の考案としては、民主主義に次いでというくらいに有名な、陶片追放に関しての愉《たの》しいエピソードだけは紹介しておきたい。

陶片追放の制度がつくられてから、二十年も過ぎない頃の話である。アテネ政界の大立者でもあったアリステデスが、恒例となっていた陶片追放の投票場で、一人の男から声をかけられた。その男は首都から遠く離れた地方から来たのか、アリステデスとは知らないで声をかけたようである。陶片を差し出しながら、その男は言った。

「悪いけれどこれに、アリステデスと書いてくれませんか。わたしは字が書けないんでね」

アリステデスはその男に、アリステデスという人物は何か悪いことをしたのか、とたずねた。男は、首を振って答えた。

「いいや、わたしは顔さえ知りませんよ。ただね、ああもあちこちで、しかもくり返して、アリステデスは大人物だ正義の士だと聞かされて、うんざりしたってわけです」

アリステデスは何も言わず、その男の差し出した陶片に自分の名を書き、男にそれを返してやった。その年、アリステデスは、アテネから追放された。

ところが、三年も経ないうちに呼びもどされる。ペルシアの大軍が攻めてきたからである。帰国したアリステデスが、総司令官テミストクレスに協力して、アテネが先頭に立って戦ったペルシア戦役を勝利に導いたのは言うまでもない。ちなみに、ペルシア戦役での第一の功労者であったテミストクレスもその後、陶片追放の犠牲者名簿に名をつらねることになる。だが、この制度も、紀元前四一七年には廃止された。さすがのアテネ人も、国益に反することのあまりの多さに、目覚めたのかもしれない。

いかに無知でも市民でさえあれば権利は完璧《かんぺき》に認められたアテネだったが、市民権という形での当時の国籍を持たない者には、参政権は完全に閉ざされていた。アテネ在住の非市民とは、外国人と奴隷である。仕事や何かの理由で、当時のアテネには多くの他国人が住んでいたが、彼らの多くは同じギリシア人だったのだ。ギリシア語を話し、ギリシアの宗教を信じ、ギリシア的性格をもつことでもまったくアテネ市民と変らなかったこれらの人々は、アテネ以外の他のポリスの出身であるという一事だけで、アテネ市民と差別されていたのである。アテネでは、両親のいずれかがアテネ市民である子だけが、アテネの市民権をもつことができた。それも、後にペリクレスの時代になるともっと閉鎖的になり、両親ともアテネ生れでなければ市民権をもつ資格がないと変るのである。

この傾向は、ギリシアではアテネにかぎらなかった。ギリシアのポリス社会は、実際は意外に閉鎖的であったのだ。何年アテネに住もうと、いやアテネに生れアテネで死のうと、他国人には市民権への道は閉ざされたままだった。経済や文化の分野であれほどの〝自由化〟を思えば不可思議だが、市民の全員に平等な権利を与えようとすれば、勢い市民の数を制限するしかなくなるのかもしれない。

ソクラテスは、たとえ悪法といえども祖国の法には従うと言って、逃亡のすすめも断わって死刑に処せられた。同じ哲学者でもアリストテレスは、法になど殉じないでさっさと逃げた。アテネ市民であるソクラテスにとってアテネは祖国だが、アテネ生れではないアリストテレスにとっては、アテネの法に殉ずる義理はなかったのである。

だが、この点でも、ローマはギリシアとちがう道を選んだ。そのローマを、ギリシア人であるプルタルコスは、「敗者を同化する彼らのやり方くらい、ローマを強大にした要因はなかった」と書く。とはいえ、市民同様の税金を払いながらも、被選挙権はおろか選挙権さえ認めない国家は、現代でも珍しくないのである。

ギリシアとローマのちがいは、奴隷に対する処遇にも見られる。ギリシアの奴隷は、ごくまれな例外をのぞき、奴隷のままで生涯を終える運命にあった。反対にローマの奴隷には、解放奴隷という制度があった。貯めこんだ金で自由を買いもどしたり、長年の勤務の後に退職金のような感じで自由人になれる制度である。そして、解放されて自由も得た元奴隷は解放奴隷と呼ばれたが、その子の代になると、ローマの自由な市民同様の市民権を獲得することができた。だが、このことについては後に詳述する。

都市国家アテネが人類史上はじめての民主政を確立し、その政体のままで紀元前五世紀に入ろうとしていた時代、アテネと並んでギリシアの代表的なポリスであるスパルタでは、どのような政治体制が機能していたのであろうか。政治体制とは、単なる政治上の問題ではない。どのような政体を選ぶかは、どのような生き方を選ぶかにつながるのである。

スパルタ

ギリシアのポリス国家のほとんどがアテネを先頭にして民主政体を採用していたのに反し、スパルタだけは独自の道を歩みつつあった。

海に開けたアテネとちがい、スパルタはペロポネソス半島の中央部に位置する。山また山を越えてでなければ到達できない、内陸部にある。そのうえ、住民の構成も、建国当初からアテネとちがっていた。

紀元前一二〇〇年頃に南下してきたドーリア民族が、先住民を征服してできたのがスパルタである。征服者であるドーリア人は、このスパルタでは先住民と同化しなかった。支配階級と被支配階級が、スパルタほどはっきり分離し、分離したままでつづいたポリスは他にない。スパルタでは、支配する者と支配される者のちがいは、力の有る無しよりも先に、民族のちがいであったからである。

まず、征服者の子孫で現支配階級を形成するスパルタ人がくる。スパルタ人と呼ばれるのは、この、一万人前後の自由市民とその家族だけである。彼らは、都市の中心部に集中して住んでいた。軍役が、この純血スパルタ人の唯一の仕事だった。国政参加の権利も、この人々だけがもっていた。

次に、商工業に従事する、ペリオイコイと呼ばれる人々がくる。彼らはおそらく、征服者ドーリア民族についてきて住みついた、ドーリア人でもなくスパルタの先住民でもない、他地方出身のギリシア人でもあったのだろう。

この人たちは、自由民ではあったが市民権はもたなかった。ゆえに、国政参加の権利はない。市民権を与えられていない彼らには、選挙権もないのだ。それでいて兵役の義務はあった。軍務を課されれば参政権も与えられるのが、古代国家での市民権の概念であったが、スパルタのペリオイコイたちの軍務は一兵卒としてであったから、軍務ではキャリア組のスパルタ人の有する権利と差をつけられたのかもしれない。

都市国家スパルタの「カースト」の最後は、ヘロットと呼ばれる農奴たちだった。この人々こそ、ドーリア人が来襲する以前の、スパルタの住人であったのだ。だが、ギリシアの青銅器文明の立役者であった彼らも、鉄器をもったドーリア人に征服されて以後は、奴隷ではなかったが、隷農と訳すしかないヘロットの身分に甘んじていた。結婚以外は、参政権や私有財産権や裁判権等の市民の享受《きょうじゅ》する諸権利を拒否されていた彼らには、市民の義務である兵役さえ課されていなかった。スパルタ市民の所有する農場で働くのが、彼らに認められた唯一の仕事だった。

スパルタ人とペリオイコイとヘロットの人口の比率は、一対七対一六程度であったとされている。この人口比率が、スパルタのすべてを規定したのであった。

農業と商工業を被支配階級にまかせていたスパルタ人が軍務専従を選んだのは、二十四分の一でしかない人口で残りを支配していかねばならなかったがゆえの方策であったろう。とくに、被支配者の中でも隷農の身分に縛りつけられていたヘロットたちは、常に不穏な状態にあった。軍事国家として有名なスパルタも、まずは同国人を押えこむ必要から軍事国家になったのである。

成年男子で軍務可能な年齢とされている二十歳から六十歳までのスパルタ人は、数千人が常の数であり、一万人に達することさえまれであったといわれている。少数精鋭主義もまた、このスパルタでは現実から生じた帰結であったのだ。

完全な市民権をもつスパルタ人でも、成年に達すればただちに市民集会出席の権利を与えられ、一票を行使できるわけではなかった。それができるのは、三十歳になるまで待たねばならなかった。三十歳以上のスパルタ人で構成される市民集会の他に、長老会議もあった。これには、市民集会で選ばれた六十歳以上の市民二十八人が集う。任期は終身だ。二人の王も議席をもっていたから、合計三十人が長老会議のメンバーであったことになる。

軍事と政治の最高位者である王には、スパルタの二つの名門家系の出身者が就くことに決まっていた。交代にではなく同時に王になるのだから、二人の王による世襲制の二頭政治である。それゆえ、一人の王による君主政という意味のモナルキアではなく、二人の君主の支配する政体という意味で、「ディアルキア」と呼ばれた。

全ギリシアのポリスが、アテネで確立しつつあった民主政を意識しないではいられなかった時期でもなお、スパルタだけはこの政体を保持していくのである。いや、保持どころか、紀元前七世紀後半のリュクルゴスの改革によって一層確固としたものになり、ますますスパルタ的性格の急進化が進むことになるのだ。

ソロンの改革がアテネの性格を決定したのと同じに、まったく別の方向ながら、リュクルゴスの改革もスパルタの性格を決定したのであった。

改革とは、かくも怖《おそろ》しいものなのである。失敗すれば、その民族の命取りになるのは当然だが、成功しても、その民族の性格を決し、それによってその民族の将来まで方向づけてしまうからである。軽率に考えてよいたぐいのものではない。

リュクルゴスの改革によって、以前よりは一層、スパルタ人の日常生活はすべて、軍務を至上目的とした計画にそって進むことになった。

子供は生れるとすぐ、長老たちの試験にさらされる。健やかに成人できそうか否かが、この段階で決められてしまう。できそうもないとされた赤子は、捨てられるか奴隷にされた。

壮健な戦士に育ちそうだと判断された子供は、六歳までは親もとで育てることが許される。だが、七歳になるやいなや、親もとから離されて寄宿舎生活に入る。同年配の少年たちと共同生活しながら、戦士養成を目的とする計算されつくしたスケジュールにそって、教育がほどこされるのである。もちろん、肉体の鍛錬が主要課目だ。四年ごとに開かれていたオリンピアの競技会では、金メダル、いや月桂冠《げっけいかん》は、スパルタ勢の頭上に輝くことが多かったにちがいない。

二十歳に達すると、兵役がはじまる。軍務は、六十歳になるまで現役であることを求められる。結婚しても三十歳までは共同生活を義務づけられていたので、その期間は夜になると兵舎にもどらねばならなかった。

少年たちのための寄宿舎であろうが戦士用の兵舎であろうが、それ用の建物などの用意はない。テントの中で生活するのである。劣悪な環境でも耐えていけるようにするためだった。三十歳を越えてはじめて一人前と認められたスパルタでは、妻や幼い子たちとの生活を屋根と壁のある家で享受できるのも、一人前の市民にしか許されなかったのである。

このスパルタでは、国政参加と兵役をのぞけば、男女は完全に平等だった。女子も男子と同様、健康で頑健な体格をつくるに必要な食事を義務づけられていた。健康な子を産むためであるのはもちろんだ。それゆえ、厳密なダイエットが決められ、甘味や酒や美食は厳禁されていた。体育教育も、男子同様に課され、その成果はたびたび開かれる競技会で試され、優秀者は結婚の際に有利になった。もしもオリンピアの競技会に女子の参加が許されていたら、女子の分野でもスパルタ勢が断然優勢であったろう。

これまた男子と同じだったが、訓練でも競技会でも、裸体で行うと決められていた。秘すればこそ妙な気を起すと、リュクルゴスは考えたのであろう。性生活も、スパルタでは、壮健な肉体をもつ戦士の育成を目的とする手段の一つにすぎなかったのである。それゆえ、独身者は白い眼で見られ、夫が戦死でもすれば、子を成した実績をもつ未亡人ならばなおのこと、再婚が奨励された。このスパルタの女たちの義務は、健康な子をなるべく多く産むことと、織物をはじめとする家事にはげむことだった。

男であっても、少年期に習う読み書きのほかは、高尚な内容の書物も活潑《かっぱつ》な議論も歓迎されなかった。イタリアでは今でも、寡黙《かもく》な人を評して「ラコーニコ」という。都市国家スパルタのあった地方はラコーニア地方と呼ばれていたので、意訳すれば「スパルタ的」という意味になる。古代のスパルタでは、おしゃべりは軽蔑《けいべつ》された。集会での発言も、簡潔が第一とされていた。

スパルタの戦士たるもの、読書に溺《おぼ》れるなどはもちろんのこと、疑問をいだいたり考えをめぐらせたりするのも賞《ほ》められたことではないのである。街の広場で通行人をつかまえては議論をふっかけ、その人が自分自身の無知であることを認識するまで離さなかったソクラテスがスパルタに行っていたら、一人の弟子もできないうちに追い出されていたにちがいない。このスパルタ人にとっての美徳は、勇猛と服従と愛国心であった。

しかし、このスパルタをつくったリュクルゴスは、改革とは口で説くのでは充分でなく、やむをえずやらねばならない状態に追いやってこそ成功し、また永続するものであると考えていたようである。

彼は、それまではスパルタでも流通していた金貨と銀貨を全廃し、通貨は鉄貨のみと決めた。鉄製の貨幣では、他国の商人たちが通商を嫌う。質実剛健をモットーとする生活に不必要な品々も、これでスパルタ内には入ってこなくなる。質素な生活に必要な品々は、スパルタ内で自給できた。

それに、農業に従事するヘロットたちは収穫の半分を主人であるスパルタ人に供出すればよいとなっていたから、もともとスパルタ人は裕福でなかったのだが、鉄貨ではそれさえ貯めこむ気も失《う》せよう。また、いかに低い水準に押えられようと、皆が平等に低い水準にあるのなら嫉妬《しっと》も生じない。持てる者と持たざる者の間に生ずる階級闘争にも、無縁でいられるということになる。このスパルタに、泥棒さえもいないことは有名だった。スパルタには、アテネにはつきものであった権力抗争もなく、政治上の安定を長期にわたって維持できることになる。

そして、すべてがこの一事に捧《ささ》げられていただけに、スパルタの軍事力は恐るべきものだった。数は少なかったが、その名声はペルシアにまで知られ、精鋭部隊といえばギリシアでは、スパルタの歩兵軍団のことだった。

だが、このスパルタは、戦士のほかには何も産まなかった。哲学も科学も、文学も歴史も、建築も彫刻も、まったく何ひとつ遺《のこ》さなかった。スパルタ式、という言葉を残しただけである。

それでも古代では、スパルタは軍事力をもっていた。彼らが仮想敵国と考えていたアテネの力が強くなるにつれて、スパルタも、ラコーニアの山の中に閉じこもっているのに不安をいだきはじめる。他国への侵略をはじめたスパルタは、紀元前六世紀も末の頃には、ペロポネソス半島のほとんどを支配下におくまでになっていた。

支配下に入ったポリスを合同して、スパルタ主導の「ペロポネソス同盟」が結成される。この軍事同盟への参加の条件は、スパルタが戦争をする際の兵力提供と、民主政ではなく貴族政を採用することだった。年貢《ねんぐ》金の支払いは要求されなかった。スパルタは、金貨よりも兵士を欲していたからである。そして、スパルタは、自分たちのやり方とはちがう民主政体をもつポリスを、敵国と見ていた。

　百五十もあったといわれるギリシアのポリスの中で、紀元前五〇〇年前後のこの時期、アテネとスパルタだけが他を引き離して台頭しつつあった。アテネは経済力によって、スパルタは軍事力によって。ただし、生き方までが相反していたこの両雄の激突は、この時期は回避される。ギリシアの外部から、ギリシア内で争いでも起そうものなら共倒れになること必至の大敵が襲ってきたからである。ペルシア戦役のはじまりであった。

ペルシア戦役

　戦争は、それがどう遂行され戦後の処理がどのようになされたかを追うことによって、当事者である民族の性格が実によくわかるようにできている。歴史叙述に戦争の描写が多いのは、人類があいも変らず戦争という悪から足を洗えないでいるからというよりも、戦争が、歴史叙述の、言ってみれば人間叙述の、格好な素材であるからだ。ローマ人は一人も登場しないが、これから述べるペルシア戦役も、ローマ人を理解するには避けて通れないギリシア人理解のうえで、「格好の素材」なのである。なにしろ内ゲバの激しさに特色のあるギリシア史では珍しく、ペルシア戦役は、全ギリシアが一致団結して敵に当った最初にして最後の例でもあった。

西暦も紀元前五世紀に入ろうとする時代、オリエント全域の征服に成功したペルシア帝国が、視線を西方に向けはじめていた。このペルシアの勢力拡張の要因は、次の二点に集約される。

第一は、経済上の理由。イオニア地方とも呼ばれる小アジアの西岸とギリシア本国との間に横たわるエーゲ海一帯が、この時代の経済の中心であった。ペルシアは、繁栄するこの一帯をわがものにしようと欲したのだ。

第二は、宗教上の理由である。徳の神アフラ・マッツダを最高神とするペルシアの宗教のほうが、人間並みの徳しかもたないギリシアの神々よりは優れていると、当時のペルシア人は確信していたのである。それゆえ、優れている宗教をもつ民が、劣る宗教をもつ民族を支配下におくのは当然だと、ペルシア人は考えたのであった。

ペルシアの王は、徳高きアフラ・マッツダ神より支配の全権を与えられた存在であり、それゆえ単に一国の王にとどまらず、「諸王の王」と称していた。この諸王の王が統治する政体から見れば、内紛ばかり起しているギリシアのポリス国家の民主政体は、劣悪以外の何ものでもなく、ギリシア人をこの〝悪夢〟から目覚めさせることは神の意にかなうと、ペルシア人は考えたのである。

ペルシア戦役は、経済的理由による戦争という以上に、イデオロギーの戦争であったのだった。

ペルシア戦役は、まずはじめに、ペルシアに近い小アジアの西岸から火を噴いた。ペルシア王が、この一帯のポリス群に、民主政でなく君主政体にするよう強要したからである。当時のイオニア地方は、ギリシア本国よりも経済が発展しており、それゆえに政体の改革も進行していて、アテネよりも早く民主政を実現していたほどだった。ペルシア王の強要に、ミレトスを先頭とするこのイオニア地方が反撥《はんぱつ》した。

ミレトス人はまず、軍事力ではギリシアのポリス中で最高の力を誇っていた、スパルタに援軍を求める。ペルシア戦役を叙述したヘロドトスの『歴史』によれば、彼らは次のように言って、スパルタを説得しようとした。

「イオニアのギリシア人は、今や奴隷の身に落ちようとしている。イオニアに住むわれわれにとっては何ごとにも比較できないほどの悲しみだが、これは、ギリシア人全体の問題でもあるのです。とくに、あなた方スパルタ人にとってはなおさらだ。あなた方は、ギリシアでは最高の軍事力をもつ。イオニアの同胞たちを、ペルシアの暴政から解放してほしい。あなた方と同じ血をもつわれわれを、見殺しにしないでほしいのです」

だが、当時はアルゴスとの間で戦争状態にあったスパルタは、民主政に好感をもっていなかったこともあって、イオニアの民の求めに応じなかった。応じたのは、ギリシア人でも同じアカイア民族同士ということで密接な関係にあった、アテネとエウベアである。この二国は、合わせて二十五隻《せき》の船と戦闘員を援軍として派遣した。だが、これではペルシアの敵ではない。四年も経ないうちに、イオニアのギリシア人の反抗は粉砕された。紀元前四九四年のことだった。

このイオニア地方での経験は、ペルシア王に次のことを教えた。

ギリシア人の都市を攻め彼らを支配下におくには、オリエントの諸民族の場合とはちがって、大軍派遣だけでは充分でなく、ポリス間の離反を目的とした巧妙な外交も必要だ、ということである。ギリシアの都市国家群は結局は共同歩調をとれないと、ペルシア王は確信した。

紀元前四九〇年、ペルシア王ダリウスは、先にイオニアを助けた二国に向けて、陸

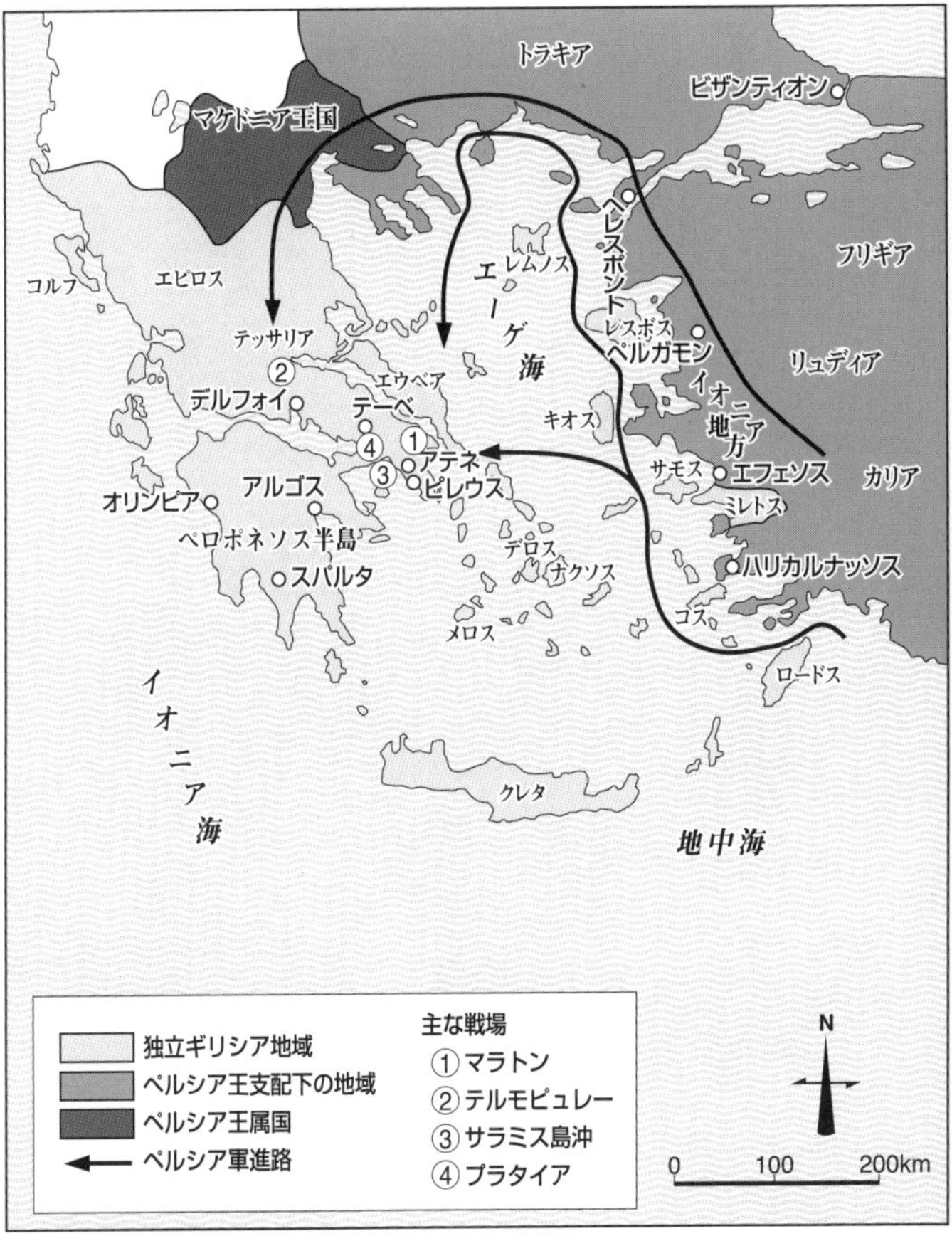

ペルシア戦役当時のギリシア世界

海合わせて二万五千の兵からなる軍勢を送った。ペルシアの敵はエウベアとアテネの二都市国家であると、明らかにしたうえでの侵攻である。エウベアはたちまち略奪され破壊され、住人は奴隷に売られた。その後、アテネ攻略に転じたペルシア軍は、アッティカ地方の東岸にあるマラトンの平原に上陸する。

ペルシア軍来襲の報に、アテネは最初、国中が震駭《しんがい》した。早速スパルタに急使を送り、援軍派遣を要請した。だが、スパルタは、拒絶はしなかったが行動も起さなかった。アテネは、自力で防衛に立つしかなくなったのである。

幸いなことにそのときのアテネには、十人の「国家政戦略担当官《ストラテゴ》」の一人に、決断力に富むミルティアデスが選出されていた。

ただちに彼は、一万人の重装歩兵団を編成する。そして、これを率いてマラトンの野に向った。ほとんど無防備都市となったアテネは、海側から海軍が守るよう手配してある。

ペルシア軍は、アテネ軍よりも数では優勢だ。だが、ミルティアデスは、薄手になろうとも戦線の長さを敵と同じ長さにし、左右の両翼に精鋭部隊を配する戦法をとる。

戦闘は、ミルティアデスの思惑どおりに、はじまって終った。アテネ軍は中央を破られたが、左右からペルシア軍をはさみ撃ちにすることに成功したからである。海からアテネを攻めようとしたペルシア海軍も、目的を果すことができなかった。ペルシア軍は海陸とも、東方に引きあげるしかなかった。

このときに一人のアテネの兵士が、マラトンでの戦勝をアテネまで走って知らせた。このエピソードが、近代オリンピックのマラソン競技の源泉になっている。

マラトンの戦闘でのアテネ側の死者の数は、百九十二人にすぎなかった。ペルシア側の損失は、もう少し多かったようである。ペルシア軍は、敗北を喫して引きあげはしたものの、ほとんど手つかずの状態で残っていた。この戦闘での勝敗の意味は、精神的なものであったのだ。オリエントでは連戦連勝であったペルシア軍も無敵ではないことを、ギリシア人は知ったのであった。

だが、ペルシアがこのままで引きさがるとは、誰にも思えなかった。対ペルシアの戦略を立てることが、ペルシアに攻められ勝ったアテネにはとくに緊急な課題だった。

マラトンでの勝利で自信をつけたものの、アテネでは以後の戦略をめぐって二派の対立が起っていた。穏健派と急進派の二派の対立は、考え方のちがいによると同時に、両派を率いる頭目同士のライヴァル意識にも原因があった。

穏健派と称される派を率いるのは、アリステデスである。無知な男の陶片に、頼まれるままに自分の名を書いてやった男だ。そして、急進派の頭目がテミストクレスだった。

急進派《ラディカル》の考えは、常に穏健派《モデレート》より明快なものである。テミストクレスの考えも、明快そのものだった。

彼は、軍備増強による自力防衛論を主張した。それも、アテネの軍事力の主力は海軍におかれるべきだと強調した。アリステデスは、これに賛同しなかった。

テミストクレスは、この政敵を排除するのに、アテネ政界の慣例に従って、陶片追放の制度を活用する。六千もの陶片を集めなければ効果がないのだから、誰かが裏で工作するのは当り前であったのだ。つまり、民主政アテネで政敵を排除したい場合、陶片追放の制度は大変に有効な武器になっていた。アリステデス自身が、無知で無判断な男のために陶片に自分の名を書いてやろうとやるまいと、大勢には少しも影響なかったのである。

陶片追放によって政敵をしりぞけることに成功したテミストクレスは、もはや妨害にわずらわされることなく、自らの確信する方向にアテネを導きはじめた。それまでは鉱山からあがる収益は市民に分配していたのだが、これをやめて全額国庫に入るように改める。軍備増強のための財源も、これで確保できた。アテネの造船業は、一年のうちに二百隻の三段層ガレー船を建造できるまでに発展した。この時期にいたって、アテネはカルタゴを完全に抜き、地中海世界第一の海軍国に変貌《へんぼう》したのである。

マラトンの戦闘から十年が過ぎた紀元前四八〇年、先王ダリウスの遺志を継いだペルシア王クセルクセスは、自ら三十万の兵と一千隻の軍船を率いてギリシアに進攻してきた。

陸軍は、ヘレスポントの海峡を渡り、トラキア、次いでマケドニアを通って南下を開始する。海軍も、陸軍に同伴する形で、ギリシアの海岸ぞいにまず西に、次いで南にくだる航路をとった。

アテネは、ただちに臨戦態勢に入った。追放されていた人々が招《よ》びもどされ、三年前の陶片追放で国外にいたアリステデスも帰国し、政敵だったテミストクレスの副将になった。

ペルシアがこれほどもの大軍を進攻させてきたのは、ペルシアの力を誇示することで、ギリシアのポリス間の離反を謀《はか》ろうとしたからでもある。だが、今回はスパルタさえも迷わなかった。

これはもう、異なる文明の対決だった。国内では服従を美徳と考えたスパルタ人も、ペルシア人に服従することは拒絶したのである。アテネとスパルタが立てば、他のポリスもそれに続く。独立心が旺盛《おうせい》なばかりに協調性には欠けていたギリシアに、ギリシア人の独立と自由を守ることを旗印にした、最初にして最後の大同団結が実現したのであった。

ギリシア連合軍の作戦は、アテネ人のテミストクレスが考えた。彼は、テッサリアの平原で大軍を迎え撃つのでは不利と判断し、南下してくるペルシア軍に対する最初の防衛線を、ギリシア中部の山地にあるテルモピュレーの、狭くて険しい山あいの道に決める。この前線には、スパルタの王レオニダスの率いる、三百のスパルタ兵と四千のペロポネソス半島出身の兵が送られた。一方、ペルシア海軍に対しては、アテネ海軍を主力とするギリシア連合艦隊をエウベアの岬に送り、そこで敵艦隊を待ち伏せする作戦を立てる。

作戦は問題なかった。ギリシア艦隊も、ペルシア海軍の南下の阻止に成功していた。ただ、スパルタから着くはずの支援部隊の到着が遅れたのである。その間、予想されたスパルタ兵の激しい抵抗による無用の流血を嫌ったペルシア王は、テルモピュレーの強行突破を避け、自軍の精鋭を選んで山地を迂回《うかい》させる作戦に出ていた。そして、その精鋭部隊に、背後からスパルタ勢を攻撃させた。

レオニダスは、四千のペロポネソスからの兵たちに退却を命じた。そして、スパルタの三百の戦士だけで、テルモピュレーの死守を決めたのだ。最後の一人になっても闘いつづけたスパルタの戦士たちを讃《たた》えて、この地には後に、次の詩を刻んだ記念の碑が立てられた。

「異国の人々よ、ラケダイモン（スパルタ）の人々に伝えられよ。祖国への愛に殉じたわれらは皆、この地に眠ることを」

スパルタの戦士の名声を後世にまで伝えることになった、哀《かな》しくも英雄的なエピソードである。そして、レオニダスと三百のスパルタ兵の犠牲も無駄ではなかった。あのスパルタ人でさえ、ギリシアの自由と独立のためには死をもいとわずに闘うことを、ギリシア中が知ったからである。危機を直前にしての共闘戦線は、これで不動になった。

だが、ギリシアの国土の三分の二は、すでにペルシア王に征服されてしまっている。

破壊し略奪し殺し焼き払いながら南下をつづけるペルシア軍の前に、立ちはだかるギリシア人は一人もいないように見えた。

一挙にアテネに迫ったペルシア王クセルクセスは、しかし、無人のアテネに入城することになる。防戦する兵士もいなければ、逃げまどう女や子供の姿もなかった。怒り狂ったペルシア兵によって破壊されたアクロポリスの神殿からあがる土煙が、無人のアテネの上空をおおうだけだった。

しかし、これがテミストクレスの作戦であったのだ。彼には、ギリシアの国土の三分の二は失っても、ギリシアの重装歩兵と艦隊は手つかずであることのほうが重要だった。そして、陸上では強力なペルシア軍に対しては、海上での勝負に賭《か》けるほうがより有効であると確信していた。

それで、アテネの戦士たちが首都の防衛にうしろ髪を引かれるようであってはならないと、アテネの住人全員をサラミスの島に避難させたのである。そして、戦闘員を満載した艦隊を、サラミス沖の海上に待機させた。

船上からは、燃えあがるアテネの街が眺められ、わがもの顔に振舞うペルシア兵の声までが聞えた。船上のアテネ兵の胸中が戦意で爆発しそうになるのも、テミストクレスの計算には入っていたのだ。

簡単な攻略に気を良くしたペルシア兵たちが、王クセルクセスの命令一下、海上のアテネ勢に勝負をいどんでくるまでの時間は、長いようでいて短かった。それを迎え撃った、アテネの重装歩兵と海兵たちの闘いぶりはすさまじかった。岬の上から、ペルシア王クセルクセスは、自軍の完璧《かんぺき》なまでの敗北を見物することになったのである。

「サラミスの海戦」の名で史上有名なこの戦闘は、わずか一日で終った。王はペルシアの都スーザまで逃げ、エーゲ海からはペルシア船の姿が消えた。

しかし、ペルシアは、早くもこの翌年に雪辱戦をいどんでくる。アテネは再び、テミストクレスの指揮下、街を無人にしての海上決戦作戦をとった。だが、この年は、他のギリシア諸国も行動が早かった。スパルタ王パウサニアスが総指揮をとる五万のギリシア連合軍は、前年と同じく地方を通って南下してくるペルシア軍を、テーベの近くのプラタイアの野で迎え撃った。激戦だったが、勝利はギリシア側のものだった。ペルシアの兵たちは、これも前年と同じく、ヘレスポントを渡ってアジアに逃げ帰った。

同じ年、今度はギリシア側が攻勢に出た。アテネ海軍を主力にして編成されたギリシア連合艦隊は、エーゲ海を東に向い小アジアに攻めこんだ。陸上でも海上でも、勝利に輝いたのはギリシア人のほうである。さらにギリシア軍は、そのほかの地方でも勝ちつづけた。海上ではアテネ人が、陸上ではスパルタ人が主役だった。

ペルシア戦役は、紀元前四七八年のこの年をもって終ったのである。ミレトスやエフェソスや歴史家ヘロドトスの故郷でもあるハリカルナッソス等のイオニアの諸都市も、住民であるギリシア人の手にもどったのだ。そして、エーゲ海もまた、ギリシア人にとっては再び、自分たちの海になったのである。

覇権国家アテネ

大敵ペルシアは敗退した。だが、これで心配が消え去ったとは、誰もが思わなかった。ギリシアのポリス群は、いずれは再び襲ってくるペルシアの軍勢に対して、恒久的な防衛体制を布《し》く必要で一致した。「デロス同盟」の結成である。

この同盟の主導権は、当然という感じでアテネがにぎった。ペルシア戦役を決したのは、アテネの海軍力であったことは明らかであったからだ。デロス同盟には、ギリシア本土のポリスだけでなく、エーゲ海の島々もイオニア地方の都市国家も加わったので、二百もの数のポリスの連合体になった。いかに当時のギリシアが、多くの都市国家に分れていたかを示している。本部には、アポロ神に捧《ささ》げられた神殿があることで、ギリシア民族にはポリスを越えて敬愛の対象でもある、デロス島が選ばれた。デロス同盟の名称も、これに由来する。

同盟の参加国は、内政はもとより外政も、完全な自治権を保有すると決められた。ただし、義務のほうは、各ポリスの力に応じて差があった。同盟の主要参加国であるアテネと、レスボス、キオス、サモス、ナクソスの島々のポリスは、船と戦闘員の提供を義務づけられたが、その他のポリスには、軍事費負担のみが課された。各ポリスから供出された同盟の資金は、デロス島のアポロ神殿に保管されることも決まった。そして、同盟の議長権と同盟艦隊の最高指揮権と資金の運用の権利は、アテネが一手ににぎったのである。

こうして、大規模な常備海軍をもつようになったギリシアの制海権は、エーゲ海域にとどまらず、小アジアの南岸海域からキプロス島にまでおよぶようになる。ペルシアの海軍は、自国の沿岸に張りつけになってしまったのだ。地中海の東半分は、もともと海に強いギリシア人の独壇場になった。

しかし、「デロス同盟」は、協調性に欠けたギリシア人の性向を変えることまではできなかった。わずか一年前までは対ペルシアであれほども一致団結していたのに、その精神を継続させることにはならなかった。アテネの主導権把握を嫌ったスパルタが、同盟への参加を拒否したからである。スパルタは、デロス同盟結成によって覇権を樹立したアテネを横眼に、自分たちの「ペロポネソス同盟」を強化する道を選ぶ。

ペルシア戦役に勝った後のギリシアでは、こうして、海ではますますアテネが強くなり、陸ではますますスパルタが強くなっていった。ただし、この両強国の敵対関係は、紀元前四三一年に起る「ペロポネソス戦役」までの四十七年間、冷戦状態でつづくことになるのである。軍事国家であるスパルタとはちがって商工業国家であるアテネには、願ってもない平和の時期になるはずであった。

大敵に立ち向うために一致団結したギリシアが、敵を倒した直後に「デロス同盟」と「ペロポネソス同盟」に二分解したように、挙国一致によって勝利を得たアテネでも、また、恒例の政争が再開されていた。主人公たちも、テミストクレスとアリステデスと変らない。

今度も、テミストクレスの考えははっきりしていた。

敵はペルシアであり、その敵を防衛できる決め手は海軍にあり、それゆえに海軍の増強を今後とも続ける必要があることを、彼は主張してやまなかった。そのうえ、テミストクレスは、アテネの市街が孤立するような事態はくり返してはならないと考えていた。敵に攻めこまれるたびに海上に逃げていたのでは、いつかはこの策も効力を失う。そこで彼は、アテネの市街と海港ピレウスを有機的に結ぶ方策を考える。アテネからピレウスまでの通行の安全を確保するために、道の両側ともを高い城壁で囲むのがそれだった。

アテネにとっての活路は常に海にあると、テミストクレスは確信していた。海港ピレウスに錨《いかり》をおろす海軍を有効に使うためにも、アテネとピレウスを、一つの有機体に変える必要があったのである。

だが、ここまでは、アテネ市民の賛同を得ることはむずかしくはなかった。しかし、テミストクレスの眼は、より遠くを見ていた。

彼は、敵はペルシアだけでなく、いずれはスパルタとの対決も避けられなくなると考えていたのである。それで、アテネが獲得した覇権を、ペロポネソス半島にもおよぼそうと考える。民主政体を樹立するならばアテネは後援を惜しまないと暗に知らせることで、スパルタの支配下にあるペロポネソス半島のポリス群が、スパルタから離反するようけしかけたのだ。スパルタが盟主になっている、「ペロポネソス同盟」の解体を謀ったのである。

テミストクレスはまた、スパルタ国内の被支配者階級である隷農のヘロットたちにも、民主政体下での自由をちらつかせることで、暴動に立ちあがるよう働きかけた。スパルタの力を、国内からも崩そうとしたのだった。

テミストクレスには、これらの策の遂行のための強大な権力が必要だった。ペルシア戦役での第一の功労者であった彼の人気は高かったが、それだけでは充分ではなかった。自らの権力の基盤を強化するために、テミストクレスは、アテネの第四階級に属す市民を優遇することで、彼らの支持を獲得しようとしたのである。財力はなくてもペルシア戦役では海兵として活躍したこれらの市民たちは、勝利で意気もあがっていたうえに、指揮官であったテミストクレスを尊敬している。彼らを完全に味方につければ、テミストクレスの権力も万全といえた。

だが、これが、アリステデスに率いられた穏健的な保守派を刺激した。アテネの保守派は、テミストクレスの考えとやり方が、自分たちの属する階層の利益に反することになるのを怖《おそ》れたのである。

アリステデスをリーダーとするアテネの穏健保守派は、テミストクレスがペルシアという敵を忘れ、友好国のスパルタを敵視していると言って非難した。テミストクレスの失脚を謀った彼らは、もちろんのこと陶片追放を活用する。今度ばかりは、アリステデスも誰に頼まれようと、陶片に自分の名を書くようなまねはしなかったにちがいない。

ペルシア軍を敗走させてからわずか七年後の紀元前四七一年、テミストクレスはアテネから追放された。

気の強かったテミストクレスは、それでもスパルタの危険を訴えることをやめなかったが、彼の唱えた反スパルタ主義は、アテネだけでなく他のポリスでも容《い》れられなかった。危険視されたのは、スパルタよりもテミストクレスのほうになる。危険人物には、生きる場さえなくなった。テミストクレスはついに、ペルシアに亡命先を求めるしかなかったのである。

ペルシア王は、テミストクレスに苦杯をなめさせられたクセルクセスの息子の代になっていたが、亡命してきたかつての敵将を、礼をつくして迎えいれた。ペルシアの地で、生きていくのに不足のない待遇を与えられていたテミストクレスだったが、亡命生活も十年目を迎えた前四六〇年、その平穏な日常さえもつづけることが許されなくなった。

ペルシア王が彼に、アテネの海軍との戦いに向うペルシア海軍の指揮を、とってくれないかと頼んできたからである。

テミストクレスには、苦境を救ってくれた王の依頼を断わることができなかった。しかし、祖国に剣を向けることもできなかった。七十歳になっていた彼は、毒杯をあおって自殺した。こうして、アテネとスパルタは並び立たないことを、それが火を噴く四十年も前に見透していた男の生涯は終った。


テミストクレスを追放した後のアテネは、テミストクレスがペルシアの地で自殺するまでの十年間、穏健保守派が支配した。この派のリーダーは、名声に包まれて引退したアリステデスの後を受けたキモンになっていた。マラトンの勝者ミルティアデスの息子で、彼自身も優れた海将である。

テミストクレス失脚後のアテネの政策は、反ペルシア一本になった。それを貫くためには、経済上の危機におちいっていたスパルタを援助することもした。

しかし、テミストクレスが自ら命を断つ一年前、このキモンも陶片追放になる。アテネでは民衆派が、再び台頭してきたからだった。だが、力を盛り返した「デモス」たちは、テミストクレスを呼びもどそうとはしなかった。十年の空白は、やはり大きかったのである。それに、アテネの民衆派は、テミストクレスの半分の年齢しかない、若い指導者を見つけていた。歴史上有名な、「ペリクレスの時代」のはじまりであった。

図版出典一覧

カバー	写真撮影：新潮社写真部
p. 16	同上
p. 22	地図作製：綜合精図研究所
p. 32	同上
p. 34	ローマ・カピトリーノ美術館蔵 写真：© Scala, Firenze
pp. 44-45	地図作製：綜合精図研究所
p. 47	同上
p. 51	同上
p. 95	同上
p. 117	挿画：瀬戸照
pp. 144-145	地図作製：綜合精図研究所
p. 148	同上
p. 181	同上

塩野七生著

サイレント・マイノリティ

「声なき少数派」の代表として、皮相で浅薄な価値観に捉われることなく、「多数派」の安直な〝正義〟を排し、その真髄と美学を綴る。

塩野七生著

イタリア遺聞

生身の人間が作り出した地中海世界の歴史。そこにまつわるエピソードを、著者一流のエスプリを交えて読み解いた好エッセイ。

塩野七生著

イタリアからの手紙

ここ、イタリアの風光は飽くまで美しく、その歴史はとりわけ奥深く、人間は複雑微妙だ。——人生の豊かな味わいに誘う24のエセー。

塩野七生著

サロメの乳母の話

オデュッセウス、サロメ、キリスト、ネロ、カリグラ、ダンテの裏の顔は？「ローマ人の物語」の作者が想像力豊かに描く傑作短編集。

塩野七生著

ルネサンスとは何であったのか

イタリア・ルネサンスは、美術のみならず、人間に関わる全ての変革を目指した。その本質を知り尽くした著者による最高の入門書。

塩野七生著

海の都の物語

—ヴェネツィア共和国の一千年—

サントリー学芸賞（1〜6）

外交と貿易、軍事力を武器に、自由と独立を守り続けた「地中海の女王」ヴェネツィア共和国。その一千年の興亡史を描いた歴史大作。

塩野七生著
わが友マキアヴェッリ
―フィレンツェ存亡―
（1〜3）
権力を間近で見つめ、自由な精神で政治と統治の本質を考え続けた政治思想家の実像に迫る。塩野ルネサンス文学の最高峰、全三巻。

塩野七生著
ルネサンスの女たち
ルネサンス、それは政治もまた偉大な芸術であった時代。戦乱の世を見事に生き抜いた女性たちを描き出す、塩野文学の出発点！

塩野七生著
神の代理人
信仰と権力の頂点から見えたものは何だったのか――。個性的な四人のローマ法王をとりあげた、塩野ルネサンス文学初期の傑作。

塩野七生著
想いの軌跡
地中海の陽光に導かれ、ヨーロッパに渡ってから半世紀――。愛すべき祖国に宛てた手紙ともいうべき珠玉のエッセイ、その集大成。

新潮社編
塩野七生『ローマ人の物語』
スペシャル・ガイドブック
ローマ帝国の栄光と衰亡を描いた大ヒット歴史巨編のビジュアル・ダイジェストが登場。『ローマ人の物語』をここから始めよう！

塩野七生著
ローマ人の物語 3・4・5
ハンニバル戦記
（上・中・下）
ローマとカルタゴが地中海の覇権を賭けて争ったポエニ戦役を、ハンニバルとスキピオという稀代の名将二人の対決を中心に描く。

塩野七生著

ローマ人の物語 24・25・26
賢帝の世紀
（上・中・下）

彼らはなぜ「賢帝」たりえたのか――紀元二世紀、ローマに「黄金の世紀」と呼ばれる絶頂期をもたらした、三皇帝の実像に迫る。

塩野七生著

ローマ人の物語 27・28
すべての道はローマに通ず
（上・下）

街道、橋、水道――ローマ一千年の繁栄を支えた陰の主役、インフラにスポットをあてる。豊富なカラー図版で古代ローマが蘇る！

塩野七生著

ローマ人の物語 29・30・31
終わりの始まり
（上・中・下）

空前絶後の帝国の繁栄に翳りが生じたのは、賢帝中の賢帝として名高い哲人皇帝の時代だった――新たな「衰亡史」がここから始まる。

塩野七生著

ローマ人の物語 32・33・34
迷走する帝国
（上・中・下）

皇帝が敵国に捕囚されるという前代未聞の不祥事がローマを襲う――。紀元三世紀、ローマ帝国は「危機の世紀」を迎えた。

塩野七生著

ローマ人の物語 35・36・37
最後の努力
（上・中・下）

ディオクレティアヌス帝は「四頭政」を導入。複数の皇帝による防衛体制を構築するも、帝国はまったく別の形に変容してしまった――。

塩野七生著

ローマ人の物語 38・39・40
キリストの勝利
（上・中・下）

ローマ帝国はついにキリスト教に呑込まれる。帝国繁栄の基礎だった「寛容の精神」は消え、異教を認めぬキリスト教が国教となる――。

新潮文庫最新刊

林真理子著
小説8050
息子が引きこもって七年。その将来に悩んだ父の決断とは。不登校、いじめ、DV……家庭という地獄を描き出す社会派エンタメ。

宮城谷昌光著
公孫龍　巻二　赤龍篇
天賦の才を買われた公孫龍は、燕や趙の信頼を得るが、趙の後継者争いに巻き込まれる。中国戦国時代末を舞台に描く大河巨編第二部。

五条紀夫著
イデアの再臨
ここは小説の世界で、俺たちは登場人物だ。犯人は世界から[redacted]を消す!?　電子書籍化・映像化絶対不可能の〝メタ〟学園ミステリー！

本岡類著
ごんぎつねの夢
「犯人」は原稿の中に隠れていた！　クラス会での発砲事件、奇想天外な「犯行目的」、消えた同級生の秘密。ミステリーの傑作！

新美南吉著
ごんぎつね　でんでんむしのかなしみ
—新美南吉傑作選—
大人だから沁みる。名作だから感動する。美智子さまの胸に刻まれた表題作を含む傑作11編。29歳で夭逝した著者の心優しい童話集。

カフカ
頭木弘樹編
決定版カフカ短編集
特殊な拷問器具に固執する士官を描く「流刑地にて」ほか、人間存在の不条理を描いた15編。20世紀を代表する作家の決定版短編集。

新潮文庫最新刊

安部公房著
（霊媒の話より）題未定
—安部公房初期短編集—
19歳の処女作「（霊媒の話より）題未定」、全集未収録の「天使」など、世界の知性、安部公房の幕開けを鮮烈に伝える初期短編11編。

松本清張著
空白の意匠
—初期ミステリ傑作集㈡—
ある日の朝刊が、私の将来を打ち砕いた——。組織のなかで苦悩する管理職を描いた表題作をはじめ、清張ミステリ初期の傑作八編。

宮城谷昌光著
公孫龍　巻一　青龍篇
群雄割拠の中国戦国時代。王子の身分を捨て、「公孫龍」と名を変えた十八歳の青年の行く手に待つものは。波乱万丈の歴史小説開幕。

織田作之助著
放浪・雪の夜
—織田作之助傑作集—
織田作之助——大阪が生んだ不世出の物語作家。芥川賞候補作「俗臭」、幕末の寺田屋を描く名品「蛍」など、11編を厳選し収録する。

松下隆一著
羅城門に啼く
京都文学賞受賞
荒廃した平安の都で生きる若者が得た初めての愛。だがそれは慟哭の始まりだった。地べたに生きる人々の絶望と再生を描く傑作。

河端ジュン一著
可能性の怪物
—文豪とアルケミスト短編集—
織田作之助、久米正雄、宮沢賢治、夢野久作、そして北原白秋。文豪たちそれぞれの戦いを描く「文豪とアルケミスト」公式短編集。

ローマ人《じん》の物語《ものがたり》1

ローマは一《いち》日《にち》にして成《な》らず［上］

新潮文庫　し - 12 - 51

平成十四年六月一日発行
令和六年四月三十日三十八刷

著者　塩《しお》野《の》七《なな》生《み》
発行者　佐藤隆信
発行所　株式会社新潮社

郵便番号　一六二―八七一一
東京都新宿区矢来町七一
電話　編集部(〇三)三二六六―五四一一
　　　読者係(〇三)三二六六―五一一一
https://www.shinchosha.co.jp

価格はカバーに表示してあります。

乱丁・落丁本は、ご面倒ですが小社読者係宛ご送付ください。送料小社負担にてお取替えいたします。

印刷・錦明印刷株式会社　製本・錦明印刷株式会社

ISBN978-4-10-118151-6 C0122